rowohlts
monographien

HERAUSGEGEBEN
VON
KURT KUSENBERG

CARL ZUCKMAYER

IN

SELBSTZEUGNISSEN

UND

BILDDOKUMENTEN

DARGESTELLT

VON

THOMAS AYCK

ROWOHLT

Dieser Band wurde eigens für «rowohlts monographien» geschrieben
Den Anhang besorgte der Autor
Herausgeber: Kurt Kusenberg · Redaktion: Beate Möhring
Schlußredaktion: K. A. Eberle
Umschlagentwurf: Werner Rebhuhn
Vorderseite: Carl Zuckmayer.
Foto Susanna Schapowalow, Hamburg/dpa-Bild
Rückseite: Die Mainzer Moritat vom Schinderhannes.
Text und Illustration von Carl Zuckmayer

PT
2653
U33
Z54

Veröffentlicht im Rowohlt Taschenbuch Verlag GmbH,
Reinbek bei Hamburg, Juli 1977
© Rowohlt Taschenbuch Verlag GmbH, Reinbek bei Hamburg, 1977
Alle Rechte an dieser Ausgabe vorbehalten
Satz Aldus (Linotron 505 C)
Gesamtherstellung Clausen & Bosse, Leck/Schleswig
Printed in Germany
680-ISBN 3 499 50256 9

INHALT

02431

Carl Zuckmayer. Sommer 1932

REALISMUS UND MÄRCHENHAFTE WIRKLICHKEIT

Ist der humoristische Volksdichter, der Dramatiker, der Gottsucher, der «ethische Sozialist»[1]* Carl Zuckmayer ein Nachfahre Heinrich Heines, des Atheisten, Hedonisten, des Revolutionärs und kampflustigen Pamphletisten? Die Frage drängte sich auf, als Zuckmayer 1972 den mit 25 000 Mark dotierten, zum erstenmal verliehenen Heinrich-Heine-Preis der Stadt Düsseldorf erhielt.

Wenige Monate vor der Preisverleihung hatte Zuckmayer an den Herausgeber einer Anthologie über Heine geschrieben: *Ich konnte zu Heine, bei aller Bewunderung seiner brillanten Intelligenz und seines dichterischen Vermögens, nie ein Verhältnis finden.*[2] Journalisten, die Öffentlichkeit und Freunde des Dichters Heine protestierten[3] gegen die Ehrung Zuckmayers. Der Autor verteidigte sich gegen *Anstänkerungen in der Presse*[4] und revidierte seine vorschnelle Distanzierung von Heine. Er kam zu dem Urteil, *daß ich, der ich in deutschen Landen so viel politischen Wirbel verursacht hatte mit meinem «Fröhlichen Weinberg» und auch wegen meines «Hauptmann von Köpenick» zu den von den Nazis meist angefeindeten Exilierten gehörte, keinen Grund hätte, den Heine-Preis nicht anzunehmen*[5].

Carl Zuckmayer sagte in seiner Preisrede, die den Titel *Heinrich Heine und der liebe Gott und ich* trug, er fühle sich Heine verwandt. Die Verwandtschaft bezog er auf die Erfahrung der Emigration und auf die Erkenntnis, wie Heine ein *geradezu unverbesserlicher Deutscher*[6] zu sein. Auch seine eigene Religiosität sah Zuckmayer bei Heine widergespiegelt. Er stellte sich die Frage, wer Heines Gott gewesen sei und folgerte: *... es war keiner, den man in den bestehenden Religionen verehrt, deren Priester, jüdisch oder christlich, er nicht an seinem Grab wollte – es war nicht Jehova, der auch ein Rachedämon sein kann, nicht der Leidensheiland, am allerwenigsten Hegels Weltgeist.*[7]

Heine sprach tatsächlich in seinen letzten Lebensjahren von der «Wiedergeburt des religiösen Gefühls». Und doch übte er sein altes Vernunftrecht weiter, ironisierte den neugefundenen Gott, kritisierte ihn, etwa im Gedicht «Zum Lazarus I». In den «Geständnissen» explizierte er: «Ja, die Lauge der Verhöhnung, die der Meister über mich herabgeußt, ist entsetzlich, und schauerlich grausam ist sein Spaß. Demütig bekenne ich seine Überlegenheit, und ich beuge mich vor ihm im Staube. Aber wenn es mir auch an solcher höchsten Schöpferkraft fehlt, so blitzt doch in

---

* Die hochgestellten Ziffern verweisen auf die Anmerkungen S. 132 f.

meinem Geiste die ewige Vernunft, und ich darf sogar den Spaß Gottes vor ihr Forum ziehen und einer ehrfurchtsvollen Kritik unterwerfen.» [8] Zuckmayers Sicht auf den religiösen Poeten Heine ist der Versuch, über *den lieben Gott* eine Verbindung zu dem vernunftgläubigen Skeptiker herzustellen. Heine soll sich nach Zuckmayer am Ende seines Lebens dem *Ursprung allen Seins aus einer ewigen, schöpferischen Liebe*[9] zugewandt haben. Diese Formel beschreibt jedoch Zuckmayers eigenes religiöses Selbstverständnis, nicht Heines. Dennoch gibt es Ähnlichkeiten zwischen beiden Schriftstellern, zum Beispiel in der Erfahrung des Exils. Es gibt Parallelen im Leiden an Deutschland, im Kampf für individuelle Freiheit und Menschenwürde. Aber anders als Heine, der seine Widersprüche lebte und seine Konflikte aussprach, der zwischen Radikalen und Reaktionären konsequent seinen eigenen Weg ging, anders als Heine mühte sich Zuckmayer, auch brutale Auswüchse seiner Umwelt in eine harmonische Gesamtschau des Lebens zu verwandeln, denn *nur das liebende Verhalten, die Andacht zum Unbedeutenden, zu der Goethe und die Brüder Grimm sich bekannten, sonst nichts – gibt uns die Hoffnung, aus Verwirrung, Chaos, Isolation, Mißverständnis, Gruppenhaß, Massenangst, Kriegswillen, Zerstörungssucht, Todbesessenheit der Epoche herauszufinden*[10]. Harmonie und Harmonisierung sind Schlüsselbegriffe in Zuckmayers Weltbild. Er spricht von der in der Natur, im Leben und Sterben erkennbaren *Hoffnung, auf eine vorhandene, wahrhafte Harmonie, eine verborgene Kraft und Schönheit in und hinter den Dingen, auf die wir zuleben dürfen und zu der wir uns, mit unsrem Gefühl und unsrem Verstand, hinwenden können. Wozu wäre sonst die Gabe, das Medium, die Zaubermacht der Phantasie verliehen?*[11]

Die Suche nach Harmonie hat Zuckmayer mehrfach dazu veranlaßt, aufklärerische Momente in seinem Werk, die politische und soziale Kritik – sichtbar etwa in dem Drama *Der Hauptmann von Köpenick* – zurückzustellen und sich an allgemein-menschliche Ideale, an Kulturwerte und die *liebende Anschauung*[12] zu binden. Deutlich sichtbar wird dies in Zuckmayers autobiographischen Schriften *Pro Domo* aus dem Jahre 1938, *Second Wind* (1940) und *Die langen Wege: ein Stück Rechenschaft* (1952). Es geht dem Autor darum, daß der Mensch das eigene Schicksal akzeptiert. Der Bezug auf Nietzsches «Amor Fati» ist erkennbar. Ingeborg Engelsing-Malek in ihrer 1960 publizierten Dissertation «‹Amor Fati› in Zuckmayers Dramen» die Schicksalsliebe als Grundzug aller Gestalten und Gedanken Zuckmayers. Diese Schicksalsgläubigkeit brachte Zuckmayer gelegentlich dazu, sich dumpf und passiv vor einer politischen Macht zu verhalten. So reduzierte er 1938 in dem in Österreich geschriebenen Lebensbericht *Pro Domo* die Verwirklichung von

Heinrich Heine. Zeichnung von Franz Kugler, 6. April 1829

Humanität einseitig auf den Raum kultureller und deutsch-mythischer Geschichte. Veröffentlicht wurde der Bericht in Stockholm, zu einer Zeit also, als Zuckmayer durch seine Flucht vor den Nationalsozialisten erfahren hatte, daß eine humane Lebensgestaltung im Bereich sozialer und politischer Ordnungen gesucht werden muß. Hätte Heine nicht Carl Zuckmayer zu den «Deutschtümlern» rechnen können, jenen Zuckmayer, der 1938 schrieb: *Aber ich glaube und vertraue einer übergeordneten und unveräußerlichen Gemeinschaft, die sich auf Kultur und Überlieferung, auf das Gewachsene und Gewordene, auf Treue und Echtheit gründet. Ich glaube, aus dieser Überzeugung, an das Deutschtum.*[13]

Ein ironischer Skeptiker wie Heine ist Zuckmayer niemals gewesen. Er ist kein Aufklärer, kein kritischer Kopf. Aber seine idealistische Suche nach Harmonie, sein oft an Schwarmgeisterei grenzendes Unpolitischsein haben ihm Möglichkeiten eröffnet, die auf den ersten Blick nicht erwartbar sind. So konnte Zuckmayer nach dem Zweiten Weltkrieg als einer der ersten Exilierten nach Deutschland zurückkehren, mit Jugendli-

Diskussion mit Jugendlichen in einem Klassenzimmer

chen diskutieren. Er wurde angehört, er wiederum hörte zu, ohne Haß. Er wollte helfen, die vom Krieg und Faschismus geprägten Jugendlichen an Demokratie und humane Werte heranzuführen, auch an seine Vorstellungen vom Schicksal, nämlich Selbstgefühl, Liebesfähigkeit, Gottglauben und Anerkennung des Lebens. In diesem historischen Moment, im Augenblick des Kriegsendes, gehörte er zu den wenigen, die helfen konnten, die aber auch eventuell einen Vorwand zum allzu schnellen Verdrängen des Terrors und der Morde lieferten. Zuckmayers Maxime, mit der er aus dem Exil nach Deutschland zurückkehrte, lautete: *Immer stärker wird mein Bedürfnis, die Dinge und die Erscheinungen, die Welt und die Mitmenschen, von allen Seiten zu sehn. Immer geringer die Neigung zum Einseitigen, zum apodiktischen Urteil, sei es Völkern, Personen, Ereignissen gegenüber. Nicht, daß ich das Häßliche und Gemeine nicht hassen kann, da ich das Schöne und Gute liebe. So lange der Mensch lebt und liebt, wird er auch da, wo seine Scheu zu Abscheu wird, hassen und verachten. Aber im Haß muß noch die Ahnung der möglichen Liebe stecken, im Verachten noch die Sehnsucht nach Verehren, und die Liebe selber muß bereit sein, sich aus der Verschwendung zu mehren und zu erneuern. Es kann nie zu viel Liebe geben auf der Welt, höchstens zu wenig, und wo sie spart oder abmißt, geht sie bald an der Auszehrung ein.*[14]

Nicht Antworten auf Fragen will Zuckmayer geben, sondern er wünscht *ein immer neues, heiliges Staunen*[15]. Dieses Staunen findet seine Begründung im Anblick der Natur und der alltäglichen Realität. Zuckmayers verblüffende Geschicklichkeit in der Nachzeichnung von Dialekten und Milieus ist Grundlage seiner großen Theatererfolge. Die Lebensnähe der Zuckmayer-Sprache entfernt den Autor aber von der Skepsis anderer Dramatiker des 20. Jahrhunderts, daß Sprache immer weniger imstande sei, Sachverhalte, gar solche innerer Art, zu benennen, wie Hans Mayer in seinem Buch «Zur deutschen Literatur der Zeit» ausführt: «Weil dem aber so ist, müssen alle Schauspiele Zuckmayers, sogar die guten seiner Anfänge, entweder einen Zug des Anachronismus oder des Märchenhaften annehmen. Der scheinbare Realist Zuckmayer gibt allenthalben dramaturgische Künstlichkeiten, wogegen gar nichts zu sagen wäre, wollte er nicht ärgerlicherweise darauf pochen, diese artifizielle und märchenhafte Wirklichkeit sei deutsche Wirklichkeit.»[16]

Aber – anders betrachtet – ist diese «märchenhafte Wirklichkeit» nicht ein deutliches Bild deutschen Geschichtsverständnisses im 20. Jahrhundert? Die Beschäftigung mit Zuckmayers Leben, Werk und Denken ist auch eine Auseinandersetzung mit dem Humanismus und dem Idealismus eines deutschen Bürgers, für den Alltagserfahrungen und politische Realität nahtlos in märchenhaftes Staunen übergehen. «Der Schuster

Voigt», sagt Hans Mayer über das Drama *Der Hauptmann von Köpenick*, «wird darum zur glücklichsten Erfindung Zuckmayers, weil er ausdrücklich zum Helden eines dramatischen Märchens gemacht wurde.» [17]

In der Spannung zwischen politischer Realitätserfahrung und märchenhafter Weltbeschreibung ist Zuckmayers Werk angesiedelt. Die Brüder Grimm sind für ihn Vorbild und Anreger mit ihrer Arbeit in der *Stille und der Andacht zum Unbedeutenden*. Deshalb bittet er auch seine Leser, sich nicht zu wundern, wenn er von Gallwespen und Glühwürmern spricht, statt von Ideen und Axiomen, *die, wie das Erbe des europäischen Humanismus, das Ethos der geistigen Freiheit, die Konstituierung und die Verteidigung der Menschenrechte, unser bedrohtes und brennendes Anliegen sind. Sie sind, gewiß, auch mein brennendes Anliegen, doch glaube ich, daß meine langen Wege nicht daran vorbei, viel eher dazu hin führen, indem sie uns der Wirklichkeit unseres äußeren und inneren Lebens haut- und hauchnah konfrontieren.* [18]

Zuckmayer will den *göttlichen Sinn* [19] in allem Lebendigen ahnen, fühlen, bestaunen. Er sucht einen Weg *von der Verachtung der natürlichen Wirklichkeit zu ihrer Heiligung* [20]. Nicht auf den Begriff möchte er Erkenntnisse bringen, sondern die *liebende Anschauung* [21] fördern. Das Anschauen der Natur, das Verwandeln der Natur in seelische und gedankliche Erfahrungen des Menschen bedeuten für Zuckmayer *Hoffnung*, und er zitiert die Weisheit des Predigers Salomo: *Wo Leben ist, da ist Hoffnung.* [22] Zu diesem Bereich der *Hoffnung* gehört die Kunst. *Kunst wird in diesem Sinne zum ewigen Gleichnis der Natur – des Unsterblichen also im Spiegel der Vergänglichkeit – und Natur zum Gleichnis der heimlich wirkenden Gottheit.* [23]

Dieser oft bis ins Animistische ausgeweitete Naturbegriff Zuckmayers soll zur Anerkennung eines determinierten Daseins führen, andererseits dazu auffordern, *Naturkräfte zu bemeistern, oder zu kultivieren, sie der menschlichen Lebensform und damit dem menschlichen Geist dienstbar zu machen . . . und es muß dem wachen Gewissen, dem ethischen Spürsinn der Menschenrasse gelingen, die Grenze zwischen gutem Gebrauch und Mißbrauch zu finden* [24].

Anfang der fünfziger Jahre schrieb Zuckmayer diese Sätze, die als Vorboten des Umweltschutzes angesehen werden können. Ökonomische Fragen, das Verhältnis von Natur und Politik, hat Zuckmayer allerdings nie ins Kalkül gezogen. Aber er leitet aus der *tätigen, lebendigen, aktiven Liebe zu allem Geschöpflichen* [25] im Sinne des heiligen Franziskus und im Sinne der Bergpredigt soziale Hoffnungen, soziale Utopien ab, einen Humanismus der Gleichheit und Gerechtigkeit. Er beruft sich dabei auf sozialistische Freunde, auf religiöse Sozialisten, auf Karl Marx. *Was Karl Marx zu seinem Forschen und seiner Lehre antrieb, war im Urgrund* utopischen, ja chiliastischen Charakters, nicht anders als bei den Phantasie- und Denkgebäuden des Thomas Morus und dem «Sonnenstaat» des Campanella, – der Drang zur Verwirklichung einer humaneren Welt, statt zur Idealisierung der bestehenden. Erst die Erstarrung dieser Lehre im totalitären Dogmatismus hat sie dem humanen und dem humanistischen Gedanken entfremdet. Der Humanismus nämlich darf sich nie an einem bestimmten ideologischen Punkt zur Ruhe begeben und Schluß machen, sonst ist er tot. Er verlangt das unablässige Weiterwandern auf dem schmalen Gedankengrat zwischen dem Erkenn- und dem Erforschbaren und dem Unerforschlichen. Es kann daher eine Staats- und Lebensdoktrin nicht mehr humanistisch sein, bei der das Forschen und Streben, das Bezweifeln und Untersuchen, die freie Wahl der Zu- oder Absage zu einzelnen Thesen und Theorien nur unter dem Vorzeichen eines angeblich unumstößlichen ideologischen Dogmas möglich ist.[26]

Carl Zuckmayer kann seine Vision von einer humanen sozialen Ordnung als *innere Schau*[27] erfahren, als Wendung zur nicht weiter definierten Liebe, je *komplizierter, verworrener, abgründiger die äußeren Zeitumstände*[28] werden. Er beschreibt diese Vision auch als *Welt des wahrhaften Friedens, der gegenseitigen Hilfe, der befreiten, schöpferischen Liebe*[29]. Oder er definiert seine Vision als pragmatische Alltagspolitik, etwa in der Darstellung seines Freundes Carlo Mierendorff, der in den zwanziger Jahren mit radikalen Sozialisten in die SPD eintrat, um für eine Verständigungspolitik mit dem Osten zu wirken, wie Zuckmayer erklärt: *Statt der Kontroverse des kapitalistischen Westens gegen den revolutionären Osten: die gemeinschaftliche Stärkung und Erneuerung derjenigen demokratischen Kräfte des Westens, die mit dem Osten zu einem aufrichtigen, ehrlichen Freundschafts- und Gleichgewichtsverhältnis kommen könnten. Eine demokratische Achse Wien–Berlin–Paris–London, deren progressive Tendenz nach allen Richtungen hin in die Welt ausstrahlen würde. In dieser Grundkonzeption steckt auch heute noch Zukunft.*[30]

Als «ethischer Sozialist» wurde Carl Zuckmayer bezeichnet. Er, der das Gegenwartstheater in der Nachfolge von Bänkelsang, Schaubude, Zirkus, Clowns-Komödie und Schmiere sieht, er, der die Schaubühne als eine *metaphysische Anstalt, mehr noch als eine moralische*[31] versteht, kann auch im Umkreis der religiösen Sozialisten angesiedelt werden. In der Kirchengeschichtsschreibung werden religiöse Sozialisten meist abgetan. Die Parteikommunisten konstatieren bei ihnen «ideologische Ambivalenz und Divergenz». Der marxistischen Orthodoxie gelten sie als Schrittmacher des «Revisionismus». Für viele, die gegen eine «ideologische Aufweichung» der Kirchen kämpfen, scheinen die religiösen Sozialisten so etwas wie ein Trojanisches Pferd zu sein.

Ende des 19. Jahrhunderts eröffneten sich für den religiösen Sozialismus zwei Wege: einmal war die politische Solidarität mit der Sozialdemokratie möglich unter Ausklammerung des Religiösen, zum anderen konnte das Christentum revolutioniert werden durch Hereinnahme des Sozialismus in eine Reich-Gottes-Perspektive. Wer als Christ zu den Sozialdemokraten ging, durfte für sein persönliches Christentum den Schutz des Programmsatzes, daß Religion Privatsache sei, reklamieren. Er war aber auch zu der Erklärung gezwungen, daß er die Sozialdemokratie nicht christianisieren wolle. Doch konnte er die Bedeutung des Gewissens für den Sozialismus herausstellen und von da her Verständnis für die durch Jesus dem Gewissen gegebene Orientierung zu wecken suchen. Für die zum Sozialismus anleitende Gewissensmoral fand Carl Zuckmayer eine naturphilosophische Basis. Da er die Pervertierung sozialistischer Ideen in der Diktatur und im Nationalsozialismus erlebte, er dem Kapita-

lismus – auch im demokratischen Gewand – mißtraute, suchte er in der Mitte seines Lebens nach sozialer Gerechtigkeit, nach einer neuen Religiosität im Gewissen des einzelnen.[32] Das ermutigte Zuckmayer in seiner Literatur immer wieder zur pathetischen Naturmetaphorik, zur unklaren Beschwörung von *Einfalt und Milde, Weisheit und innerem Adel*[33], es förderte ein Denken, das politische Realität und märchenhafte Wirklichkeit mischte, es machte den Dramatiker aber auch skeptisch gegenüber Ideologien und vorschnellen Entscheidungen. Und es regte eine Haltung an, welche die religiöse Sozialistin Simone Weil, warnend vor pseudo-messianistischen Illusionen, als lebenswert beschrieb: «Innerhalb irgendeiner Ordnung kann eine höhere, ihr also unendlich überlegene Ordnung nicht anders vertreten werden als durch ein unendlich Kleines. Das Senfkorn, der Augenblick als Gleichnis der Ewigkeit.»[34]

Einen undogmatischen Humanismus versteht Zuckmayer als Grund-

*Simone Weil.
New York,
1942*

lage seiner Literatur, einen Humanismus, der im einzelnen noch zu
untersuchen ist, einen Humanismus, der in der Selbstanalyse des Dramatikers wie eine Aufforderung zur Teufelsaustreibung klingt: *In jedem
ausgesprochenen Dramatiker steckt ja ein Stück von Teufel, nämlich der
Drang, es dem Schöpfer gleichzutun, ein Wille zur Macht, zur Unter-
werfung der Mitwelt unter seinen Bann, unter sein geistiges Diktat oder
seine künstlerische Hypnose, und je mehr er sich moralistisch, lehrhaft,
ideologisch, überpersönlich, doktrinär gebärdet, desto stärker ist dieser
Teufel in ihm ausgeprägt.*[35]

KINDHEIT

Als ich im Winter 1896 geboren wurde, war der Rhein, so erzählt man,
zugefroren, so fest, daß zu Silvester bei Fackelschein auf seiner Mitte
getanzt wurde und daß später der Mainzer Fastnachtszug über ihn ging,
berichtet Carl Zuckmayer in seinen Lebenserinnerungen. *Es war Sonn-*
tagabend, drei Tage nach Weihnachten, als ich in dem rheinhessischen
Dörfchen Nackenheim zur Welt kam, in dem mein Vater eine kleine
Fabrik für Weinflaschenkapseln betrieb.[36]

Carl Zuckmayer entnahm Ludwig Uhlands Gedicht vom guten Kameraden den Vers: *Als wär's ein Stück von mir* als Titel seiner 1966
publizierten Autobiographie. Zum Angelpunkt seines Lebens erklärte er
damit Freundschaft, Anteilnahme und Aussagepflicht für jene, deren Tod
er miterlebte. *Horen der Freundschaft* ist der Untertitel der Lebenserinnerungen. Dieses Betonen der Zusammengehörigkeit, des Zusammen-
halts mit Freunden ist ein Charakterzug des Autors, um das Leben
ertragen zu können. Denn deutlicher als der Zusammenhalt mit Freunden, mit Geburtsort, Erziehern, mit Kindheit- und Jugendumwelt ist die
Erfahrung des Getrenntwerdens in Zuckmayers Leben. Vor seiner
zwangsweisen Trennung vom deutschen Sprachraum hatte er sich bereits
aus der gutbürgerlichen Welt seines Elternhauses gelöst, mit seinen
Dramen Entrüstungsstürme deutschnationaler Bevölkerungskreise aus-
gelöst, sich aus der rheinhessischen Heimat in die Großstadt Berlin
begeben, dann zog es ihn nach Österreich. Zuckmayer ist ein Umherge-
triebener, der an seinen Freunden hängt, an seiner rheinischen Heimat,
der aber doch, als man ihn 1971 allzu unbekümmert als Heimatdichter
vereinnahmen wollte, zu verstehen gab: *Man sagt mir sehr häufig in*
lobender und erfreulicher Weise, daß ich in meinem Leben und meiner
Arbeit so viel Heimatverbundenheit gezeigt hätte. Tatsache ist, daß diese
Heimatverbundenheit meiner Ansicht nach etwas ganz Natürliches ist,
die eigentlich jeder Mensch von selber hat: so wie er seinen Körper,
seinen Leib, die Merkmale seines Familienstandes, seiner Eltern, Vorel-
tern trägt, so trägt er auch die seiner Heimat. Ich halte das gar nicht für
etwas besonders Betonenswertes, sondern für etwas ganz Selbstver-
ständliches. Ich meinerseits bin im Jahre 1914 Soldat geworden und nach
vier Jahren Weltkrieg eigentlich nie mehr in meiner hessischen, rhein-
hessischen, Mainzer Heimat seßhaft geworden. Ich war immer unter-
wegs und war anderswo daheim, und hier war ich ein Gast, in dem alles
wieder aufgelebt ist, was nie vergehen kann . . . der aber doch nicht mehr
Wurzel gefaßt hat.[37]

Für seine Autobiographie hat Zuckmayer sein Leben bekenntnishaft
erfunden. «Heimat» wird zum Land der Erinnerung, auch zum Phanta-

Nackenheim am Rhein

siebereich. Er schrieb keine dokumentarische Retrospektive. Menschenfreundlichkeit, Weltfrömmigkeit werden hervorgehoben, so daß in einer Epoche, in der Dissonanzen vorherrschten, weiterhin vorherrschen, die Freuden der Harmonie betont sind. Polemisch distanziert Zuckmayer sich von Autobiographien, in denen Autoren ihre eigene Kindheit zumeist in Negationen beschreiben. Die Schule sei vor dem Ersten Weltkrieg mit ihrer autoritären Dressur und prügelfreudigen Lehrern, das gibt auch Zuckmayer zu, kein Kindheitsglück gewesen. Entschieden bejaht der Autor jedoch den oft pedantisch strengen Unterricht des «Humanistischen Gymnasiums» und das Studium alter Sprachen, das ihm seiner Meinung nach zu klarem sprachlichem Ausdruck verhalf.

Auch die patriarchalischen Verhältnisse im Unternehmer-Haushalt erscheinen dem Memoirenschreiber im rosigen Licht: *Ganz anders, als sich der konsequente Klassenkämpfer vorstellen würde, verbanden meine Eltern mit ihrem jungen Unternehmertum eine Art von sozialem Idealismus. Als erste in dieser Gegend richtete meine Mutter mit ihren kaum zwanzig Jahren eine Gesundheitsberatung, besonders für die weiblichen Angestellten des Betriebs, und eine freiwillige Krankenversi-*

18

cherung ein, und die vielen Jahre hindurch, die mein Vater noch selb-
ständig die Fabrik leitete, kannte sie wohl jedes Einzelschicksal, jede
einzelne Person unter der immer mehr zunehmenden Arbeiterschaft.[38]

Wie sahen die Einzelschicksale der Arbeiter aus? Welche Arbeiten
hatten sie in der Fabrik für Weinflaschenkapseln zu verrichten? Wie
wurden sie entlohnt? Kamen sie mit ihrem Lohn aus? Gab es Sozialdemokraten unter den Arbeitern? Wie reagierten die Eltern auf Solidari-
tätsbemühungen innerhalb der Arbeiterschaft? Der Volksschriftsteller
Carl Zuckmayer übergeht diese Fragen, das heißt er stellt sie sich auch
nicht. Er verklärt seine Kindheit am Rhein als *Geschenk* und erfindet für

Das Geburtshaus

seine Herkunft das Sinnbild: *Im Strome sein, heißt, in der Fülle des Lebens stehen.*[39]

Um die Jahrhundertwende – Carl Zuckmayer war kaum vier Jahre alt – zogen seine Eltern von Nackenheim nach Mainz. Eine kulturfreundliche bürgerliche Gesellschaft lebte hier, die aus linksrheinischer Tradition durchweg kosmopolitisch, liberal und antipreußisch gestimmt war. Mainz zählte um die Jahrhundertwende 84 000 Einwohner. Die Statistiker verzeichneten in dieser Gesamtzahl auch drei Regimenter Infanterie, ein Regiment Dragoner, zwei Abteilungen Feldartillerie und ein Pionierbataillon. Beliebt war die Einteilung der Mainzer in Glaubensgruppen. Unter den Katholiken lebten 31 000 Evangelische und 3100 Juden. Eine andere Einteilung war die nach dem Besitz. Carl Zuckmayer erfuhr früh davon, wenn er mit seinem mit Seehundfell bespannten Ranzen oder der ledernen Schultasche durch die Gassen der Arbeiter und Handwerker ging, die das Schulgeld für eine höhere Lehranstalt und damit für die Bildung ihrer Kinder nicht hatten. Es spielte sich eine *doch keineswegs harmlose Vorstufe des Klassenkampfes ab. Morgens war man verhältnismäßig sicher, denn Proletarier- wie Bürgersöhne waren gleichermaßen zu spät dran und mußten laufen, während in ihren Zwingburgen schon die Klingel schrillte. Aber mittags hatten die Bittel offenbar mehr Zeit als unsereiner, der zu einem ordentlichen Familienessen pünktlich zu Hause sein mußte, und lauerten uns auf dem Heimweg auf, um uns zunächst durch Spott- und Schimpfworte aufzureizen (das beliebteste, für besonders fein angezogene Knäblein war – ohne konfessionellen oder rassischen Nachweis – der Zuruf: «Juddebub»). Dann schmissen sie mit Steinen oder verstellten einem, gewöhnlich in einer geschlossenen Gruppe, den Weg. Ausreißen war unmöglich, man hätte sich vor Freund und Feind, auch vor sich selbst, ewiger Verachtung ausgesetzt. So mußte man, wenn auch mit vollen Hosen, trotzig erhobenen Hauptes und mit verächtlicher Miene an ihnen vorbei oder durch ihre drohende Phalanx hindurchmarschieren. Manchmal begnügten sie sich damit, nach uns zu spucken oder uns von hinten Roßäpfel ins Genick zu werfen, manchmal aber fielen sie über einen her, um einen den Schlupp am Matrosenkragen, den vornehmen Schulranzen, die Bänder von der Kappe herunterzureißen, man wehrte sich, und es kam zur Rauferei, bei der man recht übel zugerichtet oder auch, besonders bei Regenwetter und Matsch, im Dreck gewälzt werden konnte.*[40] Der junge Zuckmayer lernte es, sich zu wehren und mit einem hochmütigen Märtyrertum die Strafen der Eltern auf sich zu nehmen, wenn er verschmutzt und verspätet nach Hause kam. Er beneidete die Proletarierkinder um ihre Wildheit, um ihre größere Freiheit. Er konnte schließlich so heftig schimpfen wie sie, er war bereit zum Schlagabtausch und wurde Teilnehmer an ihren Räuberspielen im

Die Eltern

Mainzer Schrebergartenviertel. Ein Zirkus hatte dort sein Winterquartier, Banditen und Messerstecher sollten herumlaufen; die Einbildungskraft wurde geweckt. Eine *faszinierende Attraktion*[41] fühlte Zuckmayer in dieser neuen Umwelt. Er schrieb seine ersten Verse über einen Hundescherer und sah sich in einer Welt von *wilden Völkerstämmen, Indianern oder Buschnegern*[42]. Ihn beglückten Wohnküchen und düster-muffige Treppenhäuser, ihn erfreute der Junge, dessen Vater Lokomotivführer war und dessen Mutter die Wäsche mit eigenen Händen wusch. Er liebte auch eine Bauernfamilie, die ihren höchsten Ehrgeiz in das Ziel setzte, ihren Sohn Pfarrer werden zu lassen. Merkwürdig, rätselhaft, unerklärlich erschien Zuckmayer das Leben der Unterschichten, ein Leben zwischen langem Weinen und wilder Lachlust, zwischen Frömmigkeit und

Mainz: der Dom

Schüler Zuckmayer

Aberglauben, wie er es auch bei den Dienstmädchen beobachtete. Märchen, Legenden, Sagen hausten hier, eine andere Art der Wirklichkeit, die Zuckmayers Phantasie zeitlebens beschäftigen sollte, eine Wirklichkeit aber auch, die scharf mit der bürgerlichen Umwelt seines Elternhauses kontrastierte. Diesen Kontrast hat Zuckmayer, im Gegensatz zu seinen Freunden Brecht und Horváth, niemals ausgetragen. Aus seiner Jugend hatte Zuckmayer die gefühlsmäßige Parteinahme für die Unterdrückten und eine Ahnung sozialgeschichtlicher Zusammenhänge ge-

23

wonnen, auf der anderen Seite blieb aber, davon anscheinend unberührt, die eigene Innerlichkeit, die Welt der Natur und der Phantasie. Zwei Lebenshaltungen resultierten daraus, zwei Schreibhaltungen. Einmal wollte Zuckmayer stets über das berichten, was ihn unmittelbar als Tagesereignis erregte. Zum anderen war er von der Farbigkeit der eigenen Phantasie beeinflußt. Beide Haltungen suchte Zuckmayer immer wieder zu vereinen, wußte aber oft nicht, auf welche Weise es gelingen könnte.

Zur gleichen Zeit wie Zuckmayer wuchsen auch die Schriftstellerin Anna Seghers (geb. 1900) und die Lyrikerin und Erzählerin Elisabeth Langgässer (geb. 1899) in Mainz auf. Sie beide sind von der frühen Begegnung mit der französischen Kultur angeregt worden. Mainz war Schauplatz kriegerischer Auseinandersetzungen, Grenzgebiet. Am Ende des Ersten Weltkriegs fand die fünfte französische Okkupation in der Geschichte von Mainz statt. Mainz war aber auch ein Ort friedlichen Austausches: Handelsplatz und Wirkungsstätte demokratischer Politiker. Georg Forster siedelte sich in Mainz an, als er die Ideen der Französischen Revolution in Deutschland heimisch zu machen versuchte. Bürgerliche Ideale bestimmten die katholische, von Handel, Industrie und Verkehr lebende Stadt. Die Bürgerkinder Elisabeth Langgässer, Anna Seghers und Carl Zuckmayer sollten in den nächsten Jahrzehnten demonstrieren, welche Möglichkeiten sich von ihren Lebensvoraussetzungen her entwickeln ließen. Anna Seghers rückte die sozialen Mißstände in den Vordergrund ihres Blickfeldes und schloß sich dem Proletariat an. Elisabeth Langgässer suchte nach der Überwindung des Satanischen durch göttliche Gnade, verharrte in der christlich-katholischen Auseinandersetzung um Welt und Glaube, Natur und Mythos. Carl Zuckmayer steht mit seiner sozialreligiösen Ethik zwischen beiden Weltbildern.

Mainz, die Stadt, in der Johannes Gutenberg um 1450 die Erfindung der Buchdruckerkunst vollendete, bildet einen Brennpunkt in Zuckmayers Werdegang. Er wurde katholisch getauft und pries noch im Alter den Zauber, *der dem Geheimnis der Sakramente innewohnt, vom Geflüster der ersten Beichte bis zum Schlucken der Hostie bei der ersten Kommunion, auch solche Ritualien, die man oft als abergläubisch, gebetmühlen- oder schamanenhaft belächelt, wie das Eintauchen der Fingerspitzen ins geweihte Wasser, der Rosenkranz, das Ewige Licht am Altar, üben Symbolkraft aus und beschenken das Herz mit einem einfältigen Vertrauen*[43].

Carl Zuckmayer wehrt sich dagegen, daß Religion Opium für das Volk sei. Für ihn liegt auch in der Marienverehrung und in der Mystik nichts Verdummendes oder Narkotisches. Zwar gesteht er ein, daß er einige Jahre lang an Dogmen und Glaubenssätzen gezweifelt habe, sich mit

Die Eltern mit den Söhnen Carl (Mitte) und Eduard

Darwins Evolutionstheorie auseinandersetzte, in Nietzsche den Antichristen bewunderte, sich dann aber von einem Geistlichen überzeugen ließ, daß ihn an Nietzsche mehr das Poetische als die philosophische Konsequenz begeistert habe.

Mainz war seit 748 Erzbistum. Mit der Säkularisierung des geistlichen Kurfürstentums wirkten auch andere Strömungen auf die Stadt ein. Die Heere der Französischen Revolution drangen bis in die Bischofsstadt vor. Von 1814 an war Mainz durch Beschluß des Wiener Kongresses großherzoglich-hessische Bezirkshauptstadt, eine Festung des Deutschen Bundes. Im Hohenzollernreich, dessen staatsbewußte Bürger Zuckmayers Eltern und Großeltern waren, verwischten sich die Spuren der republikanischen Traditionen. Allerdings, es mischte sich in die Vorstellungen der alteingesessenen Katholiken seit der Mitte des 19. Jahrhunderts eine soziale Komponente. Das aufstrebende Bürgertum, das sich mit Banken, Schiffahrtsunternehmen, Verwaltungsgebäuden und Kaufmannshäusern um die Kirchen und den 978 erstmals entworfenen Dom ansiedelte, hatte neben Handelsinteressen und neben den religiösen Bindungen eine vage Sozialmoral. Waisen- und Invalidenhäuser wurden gebaut, auch Hospitäler für alle Bevölkerungsschichten, gemeinnützige Vereine machten sich breit.

Augenfälliger als die sozialen Einrichtungen waren im Stadtbild aber die Bildungsinstitute für Bürgerkinder. Mainz beherbergte ein Priesterseminar, zwei Gymnasien – Zuckmayer besuchte das «Humanistische Gymnasium» –, ein Realgymnasium, eine Oberrealschule, eine Handelsrealschule, eine städtische höhere Mädchenschule, eine Kunstgewerbeschule. Daneben gab es diverse Volksschulen für die Arbeiter- und Handwerkerkinder, deren Eltern die Haupterzeugnisse des städtischen Gewerbes herstellten: Leder, Schaumwein, Konserven, Möbel, Holz-, Bijouterie- und Schuhwaren, Werkzeuge, Kellereiartikel, Korkpfropfen, Heizungs- und Lüftungsanlagen, Beleuchtungsartikel, Musikinstrumente, Furniere, Maschinen, Korbwaren, Silber- und Goldschmiedearbeiten, chemische Produkte wie Lack und Firnisse, Seife, Bürsten, Wein, Bier, Bücher.

Die Großeltern väterlicherseits:
Justizrat Joseph Zuckmayer mit seiner Frau Clara

Die Eltern der Mutter: Ehepaar Goldschmidt

Wie sehr Zuckmayers Familie in dieser rheinhessischen Welt ihre Identität fand, beschreibt der Autor in seinen Erinnerungen. Der Großvater väterlicherseits war Rechtsanwalt, ein Freund der Literatur und ein Lebenskünstler. Der Großvater mütterlicherseits entstammte einer seit Jahrhunderten im Rhein-Main-Gebiet ansässigen jüdischen Familie Goldschmidt. In jungen Jahren wählte der nationalliberale Großvater Goldschmidt den Protestantismus zur Religion. Im Gegensatz zu dem steifen Bismarck-Anhänger war die Großmutter Goldschmidt von lebhafter Phantasie, liebte das Theater und war für ihren Mann, der ein Fachblatt für Weinbau und Weinhandel besaß, mit ihren musischen Neigungen eine Fremde. Carl Zuckmayer fühlte sich mehr vom väterlichen Großelternhaus angezogen. Dennoch, die Großmutter Goldschmidt hatte einen wesentlichen Einfluß auf ihn. Sie war von kindlich redseliger Mitteilsamkeit besessen, sagte Gedichte auf, trug Märchen und Geschichten vor. Sie nahm den Enkel zum erstenmal mit ins Weihnachtsmärchen, und er entdeckte, daß die Feen, Zwerge, die Hexen, die Prinzen und Prinzessinnen, die Engel *wirklich* waren. Die Großmutter berichtete

27

ihm auch von Zola, von dessen Kampf für den unschuldigen Dreyfus. Fragen um den Antisemitismus wurden dabei mit dem Kind nicht erörtert. *Der Antisemitismus hatte in meiner Heimat keinen Boden,* schreibt Zuckmayer. *Es gab ihn, wie überall in der Welt, aber er beschränkte sich auf eine enge Schicht und auf einen gewissen, mehr rhetorisch aufzufassenden Gassenhumor. Gesellschaftlich spielte er, schon durch die häufigen Konversionen und Mischehen, kaum mehr eine Rolle. Früher als anderwärts waren hier, wohl unter dem Einfluß französischer Revolutionsbesatzung und der napoleonischen Zeit, die Gettos verschwunden, es gab keine «Judenviertel», und selbst die religiös gestimmten Juden lebten nicht in Absonderung . . . Erst als der Rassenwahn bei uns zur Staatsreligion wurde, hatte ich die Konsequenzen zu ziehen – aber auch das konnte mich in meinem Existenzbewußtsein nicht erschüttern. Der Begriff des «Mischlings» ist, zwischen Menschen von gleicher Kultur, Sprache, Hautfarbe, ein barer Blödsinn, eine Erfindung hirnwütiger Blindgänger.*[44]

Unpolitisch wuchs Zuckmayer in seinem Elternhaus auf. Kinder und die Mutter, die Piano spielte, musizierten miteinander. Der Vater sang. Carl Zuckmayer spielte das Cello und meinte Jahrzehnte später, daß die Musik für sein Werk von größerer Wirkung gewesen sei als alle poetischen und literarischen Eindrücke. Ansätze eines literarischen Interesses gab es in Puppen- und Kasperspielen und den selbst entworfenen Kartoffelkomödien. Mit Stoffetzen, Wattebäuschen und Glassplittern, Kohlestückchen, Karotten, Kieselsteinen, Stanniol und Glanzpapier verwandelten Zuckmayer, sein Bruder Eduard und Freunde die Kartoffeln in ein Bühnenpersonal. *Es gab Kartoffelkönige, Kartoffelhelden, Kartoffelprinzen und -prinzessinnen, Kartoffelschurken und -narren und natürlich auch den Kartoffeltod. Die Handlung wurde häufig dem Kölner Hännesje entlehnt, dessen Vorführung man auf dem Meßplatz sah, oft waren es auch bekannte Märchenstoffe oder erfundene Geschichten, für unsere besonderen Zwecke «umfunktioniert». Ich benutze hier Ausdrücke aus dem Vokabular Bertolt Brechts, denn es war sicher «episches Theater», was da gespielt wurde, und es hatte elisabethanische Ausmaße. Es wurde viel gestorben oder erschlagen, Tod und Teufel holten ihre Opfer, und es wurde ebenso viel gelacht.*[45]

Jahre später nutzte Zuckmayer sein Taschengeld, um Steh- oder Galerieplätze für das Theater zu kaufen. Sonntagnachmittags wurden Operetten gegeben. Die Stadt schwärmte für die «Lustige Witwe», die «Dollarprinzessin» und den «Walzertraum». Der junge Zuckmayer ließ sich von Röcken, Rüschen und den Sinnesfreuden mitreißen, besuchte aber gleichzeitig auch die Mainzer Symphoniekonzerte, hörte Brahms, Mahler und Wagner. Als Fünfzehnjähriger genoß er die «Meistersinger». Auf

Gerhart Hauptmann, Zuckmayer, Margarete Hauptmann

dem Gebiet der Literatur und Philosophie beschäftigte er sich mit Nietzsche, Schopenhauer und Otto Weiningers «Geist und Charakter». Thomas Mann, Herman Bang, die Stücke von Ibsen und Hauptmann,
Schnitzler und Wedekind fand er im Bücherschrank seiner Eltern. Er
verschlang Rilkes «Cornett» und dessen «Frühe Gedichte», ebenfalls
Hofmannsthals Gedichte. Die Lektüre regte ihn zu eigenen Schreibver-
suchen an. *Pessimistische Novellen* nannte er eine Folge von Kurzge-
schichten, die zumeist mit Mord oder Selbstmord endeten. Er schrieb
auch Gedichte. Vorrangig blieb jedoch in jener Zeit das Sammeln von
Lese-Erfahrungen: *Auch las man mit Begeisterung zeitgenössische Ro-
mane wie Bernhard Kellermanns «Yester und Li», die «Chinesische
Flöte» und den «Japanischen Frühling» in den Übertragungen von Hans*

29

Bethge, aus denen Gustav Mahler die Texte zu seinem «Lied von der Erde» genommen hatte, und die auf dem Tee- oder Nachttisch jeder schwärmerischen jungen Dame lagen – man las die Exotismen von Lafcadio Hearn, die anspruchsvolleren Dichtungen von Max Dauthendey, und die nicht ganz ladenreinen, aber furchtbar aufregenden Kraßheiten von Hanns Heinz Ewers – die «Spinne» oder die «Alraune»: Zum großen Teil fand diese Lektüre beim Schein einer Taschenlampe nachts unter der Bettdecke statt, weder Eltern noch Lehrer durften davon wissen.[46]

Verboten war diese Lektüre auch deshalb, weil der Deutschunterricht zeitgenössische Literatur ausschloß. Den Idealen der Schule konnten nur Schillers Gedichte oder Goethes «Dichtung und Wahrheit» genügen. Als Zuckmayer einmal verlangte, er wollte im Unterricht die Dramen von Friedrich Hebbel lesen, wurde er, wie er behauptet, *fast hinausgeschmissen*[47].

Als entscheidende literarische Leitbilder für sein Werk nannte Carl Zuckmayer um 1960 Tolstoj und Dostojevskij, Flaubert und Rimbaud, Georg Büchner und Gerhart Hauptmann, den er in Festreden und bei persönlichen Begegnungen immer wieder als *großen Dichter* hervorhob. Als seine Anreger bezeichnete er auch Hofmannsthal, Wedekind und Brecht, ferner Claudel, Walt Whitman, Hemingway, Knut Hamsun und Strindberg. Diese Namensfülle läßt sich nicht in einen Zusammenhang bringen. Zuckmayer zählte als über Sechzigjähriger noch einmal die Autoren auf, die ihm wichtig erschienen, vergaß aber dabei jene Schriftsteller, deren Arbeiten ihn in der Jugend *wie ein Sturmwind oder eine Schneeschmelze ergriffen*[48] hatten: Georg Heym, Ernst Stadler, Walter Hasenclever. Die «Expressionisten» wirkten mit ihren apokalyptischen Visionen auf den jugendlichen Zuckmayer ein, aber auch Kafka, Trakl, die Malerei der «Brücke» und des «Blauen Reiters», der Futuristen, die Kunst Vincent van Goghs. *Ich hätte nicht definieren können, was mich an alledem so ungeheuer faszinierte, warum ich diese Kunst als eine Offenbarung oder als eine Erleuchtung empfand – doch es war unsere Zeit, unsere Welt, unser Lebensgefühl, was da auf mich einstürzte –, und plötzlich war man zu einem neuen Generationsbewußtsein erwacht, das auch die klügsten, aufgewecktesten und vorurteilslosesten Eltern nicht teilen konnten.*[49]

Mit siebzehn Jahren

Herbst 1914: als Kriegsfreiwilliger

Die Generationserfahrung, die Zuckmayer beim Ausbruch des Ersten Weltkriegs kennenlernte, und der er selber verfiel, waren der kollektive Rausch und der nationale Enthusiasmus. Romantisch-emotional und unpolitisch reagierten die Jugendlichen auf den Ausbruch des Krieges. Zwar schrieb Zuckmayer noch vor seiner Kriegsbegeisterung ein Gedicht über Todesqualen, Schreie, klagende Bräute und weinende Mütter, über Kriegsgebrüll und Tote, dann aber packte den Abiturienten wie fast alle seine Altersgenossen *eine trancehafte Lust, fast Wollust des Mit-Erlebens, Mit-Dabeiseins*[50].

Freiwillig meldete sich Zuckmayer zur Feldartillerie. Dort konnte er Reitunterricht nehmen, mußte Pferde transportieren, wurde zum Geschützexerzieren, zu Marschübungen und Appellen herangezogen. Unter den Freiwilligen glaubten viele, die direkt von der Schulbank zur Kaserne gelaufen waren, an den Krieg als eine Möglichkeit menschlicher Bewährung. Vorbereitet durch die Jugendbewegung sahen sie ein erneuertes Deutschland vor sich *und wir erwarteten, als Kriegsziel, eine reformierte, konstitutionelle Monarchie, deren eigentliche Regierungsform demokratisch sei*[51].

In den Barackenlagern und Zeltställen der Kriegsfreiwilligen, in den Rekrutendepots von 1914 lebten neben Schülern und Studenten die jungen Arbeiter, Lehrlinge, Kaufleute, Landwirte, Künstler, ein Durchschnitt aller Stände und Klassen, wie Zuckmayer sagt: *Neben mir auf dem Strohsack schnarchte ein Schauspieler vom Mainzer Stadttheater, auf dem andern ein junger Maschinenschlosser, dessen Vater in der Fabrik meines Vaters an der Metallwalze stand. Gerade mit solchen, die aus dem – uns bisher kaum oder nur oberflächlich bekannten – Proletariat kamen, ergaben sich jetzt und später im Feld die stärksten Bindungen, und man tut gut, sich an sie zu halten. Sie hatten uns, den Söhnen des gepflegten Bürgertums, den Sinn für das Reale voraus, sie waren tüchtiger, geschickter, bedürfnisloser als wir, und man war stolz, daß es nicht, wie sonst zwischen «Einjährigen» und «Gemeinen» einen Unterschied in der Behandlung und im Zusammenleben gab.*[52]

Die patriotische Hochstimmung von einer klassenlosen Gesellschaft verflog an der Front. Nüchternheit, das Unheroische, Mechanische, Alltägliche des Krieges mischten sich mit Grauen, Entsetzen, Erschrecken vor dem Sterben. Es galt zu überleben. Zuckmayer, der wie fast alle Abiturienten mit Notabitur in kürzester Zeit Reserveoffizier geworden war, erkannte, daß die Arbeiter- und Handwerkersöhne eine größere Überlebenschance hatten als er. Nicht nur, daß sie sich hüteten, ihr Leben

Leutnant Zuckmayer

leichtfertig aufs Spiel zu setzen und heroische Phrasen vom Tod für das
Vaterland aufzusagen – sie waren auch in den praktischen Handgriffen,
im Feuermachen, im Holzhacken den Bürgersöhnen überlegen. Zudem
verachteten sie die *kriegsmutwilligen* Bürgersöhne und fragten: *Warum
will so ein halber Knabe, untüchtig und verwöhnt, früher ins Feld, als er
müßte? Doch nur um irgendeines Vorteils willen – um rascher befördert
zu werden oder hinterher einen besonderen Vorzug zu haben. Für diese
«Leute aus dem Volk», die es unsrerseits erst kennenzulernen und zu
verstehen galt, war das Leben der Güter höchstes. Wer das leichtsinnig
aufs Spiel setzte, indem er sich «freiwillig» in Gefahr begab, ohne
aufgerufen zu sein, war für sie – zunächst einmal – ein Hasardeur. Ein
Spieler, ein zweifelhafter Charakter. Denn ein anständiger Junge wird zu
Hause gebraucht oder bereitet sich auf seinen Beruf vor . . . Und obwohl*

die meisten keine organisierten Sozialisten waren, empfanden sie uns gegenüber eine Art von Klassenfeindschaft, oder wenigstens eine Klassenschranke. Politisch denken hatten sie ebensowenig gelernt wie wir und die hohen Geister unserer Nation. Die meisten hatten nie den Namen Karl Marx gehört, und ich fand auch später sehr wenige, die wußten, daß oder warum sie «links» waren.[53]

Als ein künftiger Offizier im Rohzustand wurde Zuckmayer von den ihn umgebenden Soldaten im Feld angesehen, als ein Unterdrücker. Im gemeinsamen Erleiden konnten die Aversionen, die Feindschaften und Klassengrenzen zeitweise überwunden werden. Zuckmayer paßte sich an, erlernte die bildkräftig-derbe Sprache, merkte sich den Jargon in den Mannschaftsstuben, das von Zoten und Flüchen beherrschte Landsknechtsdeutsch und registrierte die naßforsche Haltung im Offizierskasino. Auch Dialekte, Spracheigentümlichkeiten lernte der junge Soldat kennen, eine Voraussetzung für den späteren Dramatiker. Anfangs gehörte Zuckmayer zu einem hessischen Regiment: die Bewohner des Westens und Südwestens umgaben ihn, von der Eifel und der Porta Westfalica, dem Hunsrück, Taunus, Rhön, Vogelsberg, vom Schwarzwald und den Vogesen. Bald kamen Ostpreußen hinzu, aus Lyck und Memel, dann auch Westpreußen von der Weichsel, «Missingsche» von der Waterkant und «Wald- und Wasser-Kaschuben» mit ihren polnischen Sprachbrocken. *Es gab in dieser Zeit, zwischen meinem achtzehnten und zweiundzwanzigsten Jahr,* notiert Zuckmayer in seinen Lebenserinnerungen, *kaum einen deutschen Volksstamm, kaum eine Berufsschicht oder Menschensorte, die ich nicht kennenlernte – aus der intimsten Nähe, mit ihren Sonderheiten, Dialekten, Charaktereigenschaften, und im wörtlichen Sinn: wie sie leben und sterben. Handlungsreisende, Artisten, Kattunfabrikanten, Pharmazeuten, Holzhändler, Zuhälter, Familienväter, Transvestiten, Bergmänner, Landwirte jeden Besitzstandes, vom Katenbewohner bis zum Großagrarier, Ingenieure, Eisendreher, Glasermeister, Theologiedozenten, Postbeamte, Gastwirte, Hochseefischer, Schweinemetzger, Streckenwärter, Zeitungsverleger, -drucker, -verkäufer, Bierbrauer, Feinmechaniker, Musiklehrer, Staatsanwälte, Irrenwärter, Schornsteinfeger, Eintänzer, Mediziner, Kanarienzüchter, Studienräte. Ich könnte die Liste beliebig fortsetzen.*[54]

Der Erste Weltkrieg gehört zu den Grunderfahrungen Carl Zuckmayers. Hier lernte er nicht nur Menschen verschiedenster Klassen, verschiedenster Landstriche und unterschiedlichen Charakters kennen, hier begann er auch, lesend die Literatur zu erfassen. Er trug den Spitznamen «der lesende Leutnant». Kriegserfahrungen und Leseerlebnisse führten ihn zum politischen Denken, zum bekenntnishaften Schreiben. Er schickte 1917 Gedichte an Franz Pfemfert, den Herausgeber und alleinigen Redakteur der kulturpolitischen Zeitschrift «Aktion». Pfemfert ermutigte ihn zu weiteren Beiträgen und bat ihn *vor allem in meiner Gesinnung, die durchaus auf die Beendigung des Krieges und aller Kriege, auf die Versöhnung aller Völker gerichtet sein müsse, nicht wankend zu werden. Auch dies ergab eine merkwürdige Doppelexistenz. Ich führte meine Leute in die Stellung, ich tat meinen Kriegsdienst, wie er mir auferlegt war, bedingungslos. Aber meine Gedanken und mein Empfinden, mein Glaube und meine Hoffnung waren bei der «Internationale aller befreiten Völker», wie sie in der «Aktion» gepredigt wurde, und meine Verse und ersten Prosastücke erschienen dort.*[55]

Schwarmgeisterei bestimmte die meisten Beiträge der «Aktion». Es wurde eine geistige Revolution erhofft, die von Deutschland ausgehen sollte und von den führenden Köpfen der ganzen Welt getragen wurde. Romantisch, idealistisch war Zuckmayers Pazifismus. Wirtschaftliche, gesellschaftliche und politische Fragen standen für ihn trotz der Lektüre von Marx, Engels und der frühen Sozialisten, auch der Anarchisten wie Bakunin und Kropotkin im Hintergrund. In seinen Glauben an eine Revolution, aufgeweckt durch die Vorgänge in Rußland, mischten sich religiöse Züge. *Man hielt die Verkünder einer neuen Gesellschaftsordnung für Propheten, Märtyrer und Heilige, man erträumte in allem, was kommen werde, den Ausdruck einer unendlichen, überzeitlichen Welt- und Menschenliebe. Unsere Batterie hatte, nach Zerschießung unserer sämtlichen Sturmabwehrkanonen und dem Verlust der halben Mannschaft, neue Geschütze völlig gegenteiliger Art erhalten, schwere 15 cm-Langrohre, die auf weite Distanz schossen. Für mich änderte sich nichts, ich blieb «Beobachter».*[56]

Das autoritäre kaiserliche Regime, in dem Brotkarten und das Kriegsgesetz herrschten, in dem Streikführer verhaftet, meuternde Matrosen erschossen wurden, verbot nicht die Lektüre sozialistischer Literatur, es verbot selten einmal die Zeitschriften der radikalen Pazifisten. Neben Pfemferts «Aktion» hatten die «Weißen Blätter» und die von Karl Kraus herausgegebene «Fackel» einen starken Widerhall in den Kreisen der Kriegsgegner. Zuckmayer konnte sich informieren, seine Rolle als privilegierter Offizier überwinden. Im Gegensatz zu vielen seiner Kollegen, die voller Haß auf die bei Kriegsende gebildeten Arbeiter- und Soldatenräte blickten, im Gegensatz zu deutschnationalen Unverbesserlichen ließ sich Zuckmayer von seinen Soldaten in einen Rat wählen: *Sie erklärten mir, daß sie dabei seien, einen Soldatenrat zu bilden, in den ich gewählt werden sollte. Die führenden Offiziere drohten uns mit Erschießen und wurden ausgelacht. Am nächsten Tag setzten sie sich in einem Divisionsauto von der «meuternden Truppe» ab, die so brav war wie eine schäferlos gewordene Hammelherde. Ich blieb – die «revolutionäre» Mann-*

Im Unterstand an der Front. Links: Zuckmayer

schaft wollte einen Offizier ... Man beließ mir die Achselstücke und
Orden, band mir eine rote Binde um den Arm, übertrug mir die Befehls-
gewalt ... Keiner dieser Soldaten hatte die Idee, daß wir durch einen
«Dolchstoß in den Rücken» den Krieg verloren hätten. Das wurde den
Menschen erst später eingeredet. Wir wußten, daß wir besiegt waren.
Aber wir bildeten uns auch nicht ein, daß die Regierungen der Sieger
«besser» seien. Ausgehungert, geschlagen, aber mit unseren Waffen,
marschierten wir nach Hause.[57]

Am 1. Juni 1918 schrieb der Einundzwanzigjährige in einem Prosage-
dicht, daß die Welt von vorgestern untergegangen sei und mit ihr alle
Kanonen. Die Nationenwelt und kriegerische Auseinandersetzungen
würden ein Ende haben, das war die trügerische Hoffnung und die
Täuschung, der der Kriegsheimkehrer Zuckmayer erlegen war. Euphori-

37

Carlo Mierendorff

sche Erwartungen machten sich breit und verstellten den Blick für die reale politische Situation Deutschlands. In Debatten und Diskussionen sprach Zuckmayer über seinen Glauben an ein neues Zeitalter und die menschliche Solidarität. Er, der Überlebende der Massenmorde, hoffte, daß der Kriegsschock alle Menschen zur Einsicht führe, zum Vertrauen, zum Glück des Daseins.

Im Winter nach der fehlgeschlagenen Revolution besuchte Zuckmayer die Frankfurter Universität, sah sich in den Rechtswissenschaften um, in der Philosophie und Soziologie, betrieb einige Zeitlang ernsthafter die Naturwissenschaften auf der Universität Heidelberg; vor allem beschäftigte er sich mit Zoologie, Biologie und Botanik. Während des Universitätsaufenthalts kam der Student mit jungen Sozialisten in Kontakt. Carlo Mierendorff, der spätere Reichstagsabgeordnete der SPD und vom Hitlerregime bis zu seinem Tod im KZ Verfolgte, nahm Einfluß auf ihn. Mierendorff gab die Zeitschrift «Tribunal» heraus, ein Forum junger Sozialisten und Pazifisten. Dieses literarisch politische Periodikum veröffentlichte Texte von Kurt Hiller, Kasimir Edschmid, Theodor Däubler, Paul Zech und Alfred Wolfenstein. Der Student Mierendorff, ein Utopist und zugleich politischer Realist, wollte mit seiner Zeitschrift zu umfassenden sozialen Reformen auffordern. Fast zwei Jahrzehnte später (1938) notierte Zuckmayer enttäuscht über die gesellschaftskritischen Aktivitäten an der Seite seines Freundes Mierendorff: *Wir hofften, daß sich der vorhandene mächtige Apparat der sozialdemokratischen Partei und der Gewerkschaften durch innere Durchdringung und geistige Erneuerung reformieren und produktiv machen ließe. Aber das alles geschah auf einem Niveau, das von vornherein auf plumpe Anbiederung mit kleinbürgerlicher Verbitterung und völkischen Ressentiments, wie auf die Taktik der Verhetzung und Instinkt-Aufpeitschung, verzichten mußte und wollte, und das, von seinem geistigen Standard aus, keinen entschiedenen und natürlichen Weg zum Empfinden des Volkes und zu den Nöten der Masse zu suchen verstand, – während die verantwortlichen Leiter der deutschen Politik für solch unkonventionelle und zutiefst notwendige Strömungen und Erneuerungen kein Ohr hatten oder keine Zeit zu haben glaubten.*[58]

Carl Zuckmayer, der sich gerne unbürgerlich-anarchisch gebärdete, der sich auf Georg Büchner und dessen «Hessischen Landboten» berief, fand in dem Frankfurter Revolutionswinter Kontakt mit Pazifisten und Sozialisten, zu Literaten und Wissenschaftlern. Entscheidend wurde seine Begegnung mit dem expressionistischen Theater, das im Frankfurter Schauspielhaus eine Art Hochburg fand. Stücke von Unruh, Hasenclever und Kornfeld hatten dort ihre Uraufführungen. Harte Diktion und überhöhte Gestik gaben den Darstellungen explosive Spannung und dem Publikum das Gefühl einer Aufbruchsstimmung. Der junge antibürgerliche Zuckmayer träumte davon, ein *Neues-Welt-Theater* zu schreiben, einen Tragödien- und Komödien-Zyklus, der mit Prometheus begann und mit Lenin endete. Den Prometheus-Stoff brachte der Autor zu Ende *mit einer nicht einmal schlechten Konzeption: mit dem Feuer wollte er den von den Göttern in die Zwietracht des Lebens gestoßenen Menschen nicht nur Wärme und Licht, sondern den Frieden bringen, im ersten Akt denen im Tal, im zweiten Akt denen auf den Bergen, zwischen welchen unversöhnliche Feindschaft herrschte, wurde von beiden nach Entgegennahme seiner Gabe verlacht und vertrieben, mußte im dritten Akt machtlos erleben, wie sie das Feuer zum Krieg gegeneinander benutzten, und wurde dann von der kalten Majestät der Götter zum ewigen Leiden verdammt. Im Epilog wurde den Menschen der gemeinsame Aufstand gegen alle Götter und Altäre empfohlen, um sich selbst ihr Friedensreich auf Erden zu schaffen.*[59]

Zuckmayer sah bald, daß seine Fähigkeiten nicht so sehr dem politisch-

*Szenenbild aus der Uraufführung
des Stückes «Kreuzweg», Berlin 1920*

proklamatorischen Theater entsprachen. Der Einfluß seines Freundes
Carlo Mierendorff mäßigte zudem seinen idealistischen Überschwang.
Dennoch hing er weiterhin der expressionistischen Ausdruckskunst an,
dem Schrei in das Weltall, der Innenschau, die ekstatisch metaphysische
Programme verkündete und den Dramatiker als Seher im Chaos, als

Visionär des Menschengeschicks verstand. Das Drama sollte eine Steige-
rung der Wirklichkeit verkünden. Es war zugleich Ausdruck der Nach-
kriegsstimmung, ein Bewußtwerden der Negation von moralischen Werten des Bürgertums. Zuckmayer, der die feuchtfröhliche Geselligkeit
liebte und dessen Vitalität mit den Zwängen und Prüfungen der wissen-
schaftlichen Universitätslaufbahn kollidierte, fühlte sich den expressionistischen Oppositionellen, der protestierenden Jugend zugehörig. 1920
schrieb er sein Drama *Kreuzweg*, von dem er später abrückte, es als
verworrenes und chaotisches Stück bezeichnete. In Berlin, in dem das
Drama aus der «Fabrik für Erlösungsliteratur» [60] uraufgeführt wurde,
nannte der Kritiker Alfred Kerr den Autor Zuckmayer «eine Münze des
modischen Münzkastens» [61] aus einer «Pest von Dramen und Schriften, –
gemacht zum Vergessensein» [62].

Das Thema des Dramas *Kreuzweg* ist eine Episode aus einem Bauern-
krieg. Bauern wehren sich gegen ihren Herrn auf der Jochburg.

Der Aufstand wird religiös begründet:

> *Das Tal hallt auf und ab.*
> *Rotfeuer schwelt. Die Nacht zerbirst vom Schrei.*
> *Irrsinnige sind im Dorf – und hetzen auf –:*
> *Die Fron sei nicht von Gott –*

Ausdrücklich verlangte der Autor, das Stück nicht in einem historischen Rahmen anzusiedeln. Symbolische Aussagen interessierten ihn.
Die Aufführung im Großen Haus am Gendarmenmarkt, im Staatlichen
Schauspielhaus, erlebte nur wenige Wiederholungen. Es war ein eindeu-
tiger Mißerfolg. Niemand konnte sich über den genauen Inhalt des
Stückes klar werden. Vernichtend hieß es in der Beurteilung Kerrs: «Es
gab drei Stunden lang nur Gehartetes, Weichexpressionistisches, Zufälli-
ges, Hingereihtes, Ballungsloses, Ungestaltetes, Willkürliches, zu rasch
Wechselndes, Verschwommenes (nicht Verschwimmendes, das könnte
schön sein; Verschwommenes), allgemein Blühendes, Fragen der Welt
Bedichtendes ... das könnte monatelang so weiter gereimt, so weiter
gerhythmet werden ... und gäbe noch immer noch kein Drama.» [63]

Der Mißerfolg entmutigte Zuckmayer keineswegs. Er wollte in Berlin
sein Glück suchen, weiter schreiben, mit der jungen Schauspielerin
Annemarie (Mirl) Seidel aus der Schriftstellerfamilie Seidel zusammen
bleiben, die für einige Jahre seine Lebensgefährtin wurde, nachdem die
erste Ehe mit seiner Jugendliebe gescheitert war. In Berlin hoffte Zuckmayer auf die Zukunft, fühlte sich von den akademischen Pressionen
Frankfurts und Heidelbergs, seinem zweiten Studienplatz, befreit und
suchte einen Neubeginn im Berliner Theaterleben.

Alfred Kerr

Carl Zuckmayer hatte in seinem Erstlingsdrama die Erfahrungen der Kriegsjahre und der Nachkriegszeit verarbeitet. Nach dem Ende des Völkermordens sollte eine neue Menschheit, frei von brüchigen Konventionen, die Erde besiedeln. Der Aufstand der Bauern im Drama *Kreuzweg* läßt Parallelen zur Revolution von 1918 erkennen. Doch dieser historische Hintergrund verschwimmt in Gestalten der Sage und des Märchens. Die Suche nach dem irdischen Glück, nach Liebe, nach einem neuen Gott, der ein Erdengott sein sollte, die Suche nach dem Mitmenschen, die Heiligung des Lebens und der Natur verliert den geschichtlichen Zusammenhang im hymnischen Dramenton, im Labyrinth von Personen und Geschehnissen. Thematisch, formal und sprachlich steht Zuckmayers Drama unter dem Einfluß expressionistischer Dichtung. Die Aufbruchsstimmung, der Erneuerungswille der jungen Generation nach 1918 kamen für Zuckmayer hinzu. Doch im Alter stritt Zuckmayer den direkten Einfluß expressionistischer Hochstimmungen, der seelischen Ekstasen ab und meinte, daß nicht Unruh, Toller, Hasenclever, Kornfeld, Kaiser oder Sternheim seine Vorbilder gewesen seien, sondern eher der bilderreiche katholische Dichter Paul Claudel, der weltfromme Francis Jammes, der Tierbildmaler Franz Marc, der Märchen und Volksgestalten erfindende Gerhart Hauptmann.

Carl Zuckmayer hatte dem Zuschauer Szenen und Sprachfetzen hingeworfen, die er zu einer Handlung zusammensetzen mußte: Aufschreie, ekstatisches Gestammel ergaben jedoch kein Drama. Wort- und Bildreichtum verrieten eine lebhafte Phantasie des Autors. Der künftige Dramatiker Carl Zuckmayer ist aus diesem Frühwerk nicht abzulesen. Lyrische Elemente des Textes konnte der Autor jedoch später für sich auswerten. Einzelne Passagen wurden in die Gedichtsammlung *Der Baum* übernommen, die 1926 in Berlin erschien. Der Baum war für ihn ein Sinnbild des Menschen, und er wählte auch Jahrzehnte später einen Baum zum Wahrzeichen seiner *Gesammelten Werke*. In ihm sah er ein Stück Natur, das mit den Elementen kämpft, sich ihnen anpaßt, sich erneuert und selbst im Tod noch Leben weitergibt, denn aus dem morschen und verwesten Stamm ziehen neue Bäume ihre Nahrung. In diesem Bild des Baumes fand Zuckmayer auch die Kunst dargestellt. *Denn die Kunst muß aus den Wurzeln ihres Bodens emporstreben, ins Überwölbende, – und wer ihr dient muß «über sich selbst hinaus»*, heißt es in dem 1938 publizierten Band Pro Domo.

Die Weimarer Republik berief sich in der deutschen Geschichte auf die Revolution von 1848 und auf vielfach verdrängte und verschüttete Ansätze demokratischer Staatsgestaltung. Die im wesentlichen theoretische demokratische Konstruktion des Staats- und Verfassungsaufbaus wurde bald von der Verfassungswirklichkeit überrollt. Nationalistische Kreise und Justiz orientierten sich weiterhin an dem halbkonstitutionellen oder auch halbabsoluten Wertgefüge des vergangenen Kaiserreichs. Hinzu kamen schwerwiegende politische und soziale Strukturfehler sowie die Labilität des allgemeinen politischen Bewußtseins. Die Dolchstoßlegende, der Frieden von Versailles, die Regierung Eberts, die sich aus Furcht vor Umsturzversuchen der radikalen Linken mit der alten Armee verbündete und somit die nichtrepublikanischen Gegenkräfte mobilisierte – dies alles waren Teile einer Dauerkrise der jungen Republik, deren Wirtschafts- und Finanzpolitik auf die soziale Krise einer Inflation zusteuerte. Politische Ressentiments, eine nationalistisch zugespitzte Kritik an den ehemaligen Feindstaaten förderten nicht die Einsicht in die Voraussetzungen der deutschen Zwangslage, sondern führten zur Wendung gegen das parlamentarische System, gegen die Demokratie und die internationale Kooperation. Hier lagen die Möglichkeiten für die militanten, demokratiefeindlichen Gruppen, die schon früh mit der Sympathie und Lethargie breiter Bevölkerungskreise rechnen konnten.

In dem demokratischen Notbau «Weimarer Republik», in der von Putsch- und Umsturzversuchen geprägten Zeit der ersten Nachkriegsjahre versuchte der gescheiterte Dramatiker Carl Zuckmayer als Schriftsteller sein Geld zu verdienen, als Schriftsteller, von dem gelegentlich ein Gedicht, ein kleines Prosastück oder eine Szene in einer Zeitung oder Zeitschrift gedruckt wurde. Demokratische Blätter wie Siegfried Jacobsohns «Weltbühne», Stefan Großmanns «Tagebuch» und Herbert Iherings «Berliner Börsen-Courier» publizierten Zuckmayers Texte, doch die Honorare reichten kaum für die Miete von möblierten Zimmern. Gelegentlich fand Zuckmayer auch eine Regie-Assistenz am Theater bei Berger, Jessner oder Fehling. Filmmanuskripte, die er einreichte, wurden abgelehnt. Dramen-Versuche mißlangen. *Ich arbeitete gleichzeitig an zwei Stücken, einem poetischen Lustspiel in Versen und einem Wiedertäufer-Drama*, schrieb Zuckmayer. *Das erste warf ich nach Vollendung in den Ofen, weil ich es völlig mißlungen fand, theaterschwach – das zweite scheiterte am Stoff.*[64] Die schwierige finanzielle Lage und der schlechte Gesundheitszustand seiner Freundin Mirl Seidel zwangen den unbekümmert hoffnungsfrohen Zuckmayer zu einem Ostsee-Aufenthalt und einer kurzfristigen Übersiedlung nach München, wo Mirls

Mutter lebte. Zuckmayer trat in München als Kabarettist auf. Er sang zum Beispiel im «Simpl» bei Kathi Kobus und trug neben eigenen Liedern die Verse von Klabund, Walter Mehring und Franz Werfel vor. Dort lernte er auch Joachim Ringelnatz kennen.

Am Ende des Münchner Sommers 1921 kehrte Zuckmayer mit Mirl Seidel nach Berlin zurück. Als Filmstatist, als Schlepper für Nachtlokale und als Rauschgifthändler verdiente der Autor seinen Lebensunterhalt. Zuckmayer lernte den Berliner Jargon und Humor im Umgang mit Droschkenkutschern, Müllfahrern, Stallburschen und Schauspielern kennen, eine Erfahrung, die ihm Jahre später bei der Komödie *Der Hauptmann von Köpenick* zugute kam. Dennoch, es sollte noch fast zehn Jahre dauern, ehe Zuckmayer diese Berliner Erlebnisse literarisch umsetzen konnte. Zunächst blieb er in Berlin ein Fremder, ein Zugereister, der glücklos umherirrte. Seine finanzielle Misere zwang ihn zur Trennung von der schwerkranken Annemarie Seidel. Sie wurde von einem reichen Holländer in eine Klinik *gerettet*. Carl Zuckmayer reiste für wenige Wochen nach Mainz und nahm Zuflucht im Elternhaus.

In Mainz bot ihm sein Freund Dr. Kurt Elwenspoek, der soeben Intendant in Kiel geworden war, den Posten des Dramaturgen an. Regieaufgaben waren mit dieser Tätigkeit verbunden, notfalls auch Spielverpflichtungen. Zuckmayer folgte dem Freund zu den Städtischen Bühnen nach Kiel, nahm seine Arbeit im Theaterwinter 1922/23 auf und hatte *außer der enormen Spielfreude, dem Spaß an der Provokation und am Rebellieren, das Gefühl einer Sendung. Von Kiel aus wollten wir das Theater, vom Theater her die Welt erneuern. Noch lebten wir im Zeichen der chiliastischen Nachkriegs-Ekstase und des «Jüngsten Tages»: Kiel war für ein solches Unterfangen der denkbar schlechteste Boden ... Der «Skagerrak-Bund» ehemaliger See-Offiziere und ein bis in den Dickdarm konservatives, geistig verstopftes Handelsbürgertum bestimmten den Ton und die Denkart.*[65]

Auf dem Spielplan der Bühne, an dessen Zusammenstellung Zuckmayer Anteil hatte, standen Stücke von Büchner, Barlach, Grabbe, Lenz, Strindberg, Wedekind. Das Publikum protestierte, zumal auch die bekannteren Dramen in überraschenden Inszenierungen herauskamen. Das Debakel zeichnete sich ab. Für Zuckmayer gab es jedoch die Möglichkeit, alle Formen des Theaters auszuprobieren. Er inszenierte, er spielte, er schrieb Texte. Seine am Schreibtisch entstandenen Seiltänzerlieder, Gassenkinderverse, Sprüche im Dialekt, seine Moritat vom Schinderhannes wurden zum Teil als *echte Volkspoesie* aufgefaßt. Zuckmayer konnte sich erproben. Zugleich sanken die Einnahmen des Theaters rapide. Nicht nur das Publikum, auch die Schauspieler und Regisseure wüteten gegen Zuckmayer und seinen Intendanten. Die Freunde beschlossen, ihren

Bertolt Brecht, 1922

unvermeidlichen Abgang aus Kiel mit einem Riesen-Eklat zu feiern. Zuckmayer bearbeitete das Lustspiel «Der Eunuch» von Terenz, einen lasziven Schwank, *schrieb das Ganze völlig neu, im unverblümtesten Deutsch der Nachkriegszeit, packte alles hinein, was wir den Kielern an politischen und sonstigen Aufrichtigkeiten zu sagen hatten, und überzog die saturnalische Erotik des Vorwurfs, in dessen Mittelgrund die große Hure Thais und ihre Liebhaber stehen, ins schlechthin Vulgivage*[66].

Der Skandal blieb nicht aus, zumal eine Schauspielerin nackt auftrat. Der Intendant und Zuckmayer wurden fristlos entlassen. Die Polizei schloß das Theater. Aufsässigkeit, Unbotmäßigkeit und völlige künstlerische Unfähigkeit warf der Kieler Stadtrat seinem Intendanten und dem Dramaturgen vor.

Zuckmayers Provokationen in Kiel gehörten noch in das Lebensgefühl der Expressionisten. Als Ausweg aus dem Labyrinth der Traditionen propagierten die Expressionisten die Entfesselung des Individuums, die Disharmonie. Aus den Erfahrungen des Krieges erwuchs ein Weltverbesserungswille. Pazifismus hieß die Losung, wobei die Literatur die Ereignisse der Gegenwart ins Mythische, ins Leben und Erleiden der Menschheit erweiterte. Die Hoffnung auf einen neuen Menschen stand im Mittelpunkt der expressionistischen Dichtung. Die Kampfansage richtete sich gegen Kapitalismus und Militarismus, gegen Gewalt in jeder Form. Leitworte des Sozialismus, Kommunismus, der Pazifisten und Anarchisten dienten als Programm. Doch die revolutionären Tendenzen verharrten im allgemeinen in utopischen und irrationalen Erwartungen. Um die Mitte der zwanziger Jahre hatte sich, mit der vorübergehenden Konsolidierung der Weimarer Republik, die Ekstatik des Expressionismus verbraucht. Das abstrakte Menschheitspathos kühlte sich zu skeptischen, nüchternen, auch ideologisch bestimmten Betrachtungsweisen ab. Zum einen begannen Autoren die Welt illusionsloser zu untersuchen. Ihre Sicht reichte von der Paradoxie und Ironie bis zur traumatischen Angstbeschreibung. Zum anderen wurden Werte wie Liberalität, Rationalität und Humanität neu entdeckt. Eine dritte Schriftstellergruppierung suchte nach transzendentalen Bindungen und schloß sich dem Katholizismus an. Zuckmayer bestätigte die Fragwürdigkeit des Expressionismus, nahm aber zu keiner der sich schnell bildenden literarischen Gruppen Zuflucht. Er versuchte sich noch einmal als Dramaturg, ließ sich von Hermine Körner nach München engagieren. Als reine Unterstützungsaktion bezeichnete Zuckmayer die Stellung am Schauspielhaus in der Maximilianstraße. Er konnte auf diese Weise die Schlußphase der Inflation problemlos überstehen, lernte außerdem Schauspieler und Literaten kennen, kam in den Kreis der «enfants terribles» der guten Gesellschaft, zu Pamela und Kadidja Wedekind, zu Klaus und Erika Mann, und er begegnete Bertolt Brecht.

Bertolt Brecht, das hieß für Zuckmayer Anregung, Überdenken der Möglichkeiten des Theaters, das hieß auch Vorsicht vor dem Genie des Fünfundzwanzigjährigen, der keine Jünger oder Bewunderer suchte, sondern Mitarbeiter. Zuckmayer entzog sich der Anziehungskraft des Augsburgers, hatte jedoch die größte Sympathie für den *anarchischen Vitalismus*[67] des Autors von «Baal». Beide diskutierten über gesellschaftspolitische Fragen, wie Zuckmayer aus der Erinnerung berichtet: *Damals stand er jeder Ideologie, der Politik überhaupt, distanziert und kühl gegenüber. Wir haben viel und oft darüber geredet. Ich war damals der politisch stärker «Engagierte», mit der Zeit hat sich das in gewisser Weise umgedreht. Ich gab ihm Ernst Bloch, Lukács, die er nicht kannte –*

es interessierte ihn kaum. Er gab mir dagegen Kipling: an dem kannst du lernen. Er nutzte alles, von der Bibel bis zu den Original-Possen Karl Valentins, woran man lernen, woraus man das Destillat zu neuem Ansatz gewinnen konnte. Ansatz zur Klassizität, in seinem Sinne.[68] So sehr dieser Austausch der Gedanken und Erfahrungen zwischen Brecht und Zuckmayer eine erfundene Wahrheit sein mag, so sehr bezeugt dieses von Zuckmayer Jahrzehnte später notierte Gespräch, welche Anregungen der Nackenheimer von dem Augsburger erhielt. Unter dem Einfluß von Brecht schrieb der nach seinem Stil, nach seinen Ausdrucksmitteln suchende Zuckmayer ein halb satirisches, halb balladeskes Drama: *Kiktahan oder Die Hinterwäldler*, das unter dem Titel *Pankraz erwacht oder Die Hinterwäldler* uraufgeführt wurde. Brecht bat seinen Verleger Kiepenheuer, dieses Stück in dessen Bühnenvertrieb aufzunehmen.

Im Februar 1925 fand als Matinee von Moriz Seelers «Junger Bühne» im Deutschen Theater, Berlin, die Uraufführung statt. Seeler unterstützte junge Talente wie Brecht, Hans Henny Jahnn, Arnolt Bronnen. Er fand für das Stück *Pankraz erwacht oder Die Hinterwäldler* eine ungewöhnliche Besetzung, Schauspieler, die bald zu den großen Namen der Bühne zählten: Gerda Müller, Walter Franck, Rudolf Forster, Alexander Granach, Leonhard Steckel und Mathias Wieman. Die Regie führte Heinz Hilpert, der in den kommenden Jahrzehnten viele Zuckmayer-Uraufführungen inszenieren sollte. Zur Premiere erschienen Albert Einstein, Gustav Stresemann, Max Pechstein, Else Lasker-Schüler, Renée Sintenis und Bertolt Brecht. Doch trotz der beispielhaften Initiativen Seelers, trotz der Namen und des äußeren Gepränges erlebte Zuckmayer seine zweite Niederlage in Berlin. Die Urteile der Kritik und des Publikums kulminierten in Alfred Kerrs Meinung, daß Stück und Autor getrost vergessen werden könnten. Noch im selben Jahr, 1925, revidierte Kerr sein Urteil. Der gefürchtete und scharfzüngige Kritiker hatte Carl Zuckmayers Selbstvertrauen und Entschlossenheit, Dramen zu schreiben, weit unterschätzt.

Carl Zuckmayer verstand die Uraufführung des Stückes *Pankraz erwacht* später nur als Experiment, um theatralische Wirkungen auszuprobieren und Erfahrungen zu sammeln: *Mir aber hatte diese Theaterzeit und diese Aufführung etwas viel Wichtigeres beschert, als es Erfolg und Tantiemen hätten sein können: eine Erkenntnis. Ich erkannte zum ersten Mal ziemlich genau meine Grenzen. Dies hat nichts mit Bescheidung oder Bescheidenheit zu tun: Gebietsgrenzen sind nicht Begrenztheit nach oben. Innerhalb von Grenzen, die den natürlichen Anlagen eines Talentes entsprechen, kann alles erreicht werden . . . ich begann zu wissen, oder zu vermuten, was ich wollte und sollte und was nicht. Ich hatte weder die Gabe noch die Absicht, eine neue literarische Epoche, einen neuen Theaterstil, eine neue Kunstrichtung zu begründen. Aber ich wußte, daß man mit Kunstmitteln, die überzeitlich sind, mit einer Art von Menschenkunst, die nie veraltet sein wird, solange Menschen sich als solche begreifen, eine neue Lebendigkeit der Wirkung und der Werte erreichen kann. Dies war kein Programm – es war das Ergebnis einer ganz persönlichen Entwicklung. Ich wollte nichts Programmatisches und hatte für das, was es jetzt zu machen galt, keine Theorie, noch nicht einmal sichere Pläne. Ich wollte an die Natur heran, ans Leben und die Wahrheit, ohne mich von den Forderungen des Tages, vom brennenden Stoff meiner Zeit zu entfernen.*[69]

Auch wenn Zuckmayer sich dagegen wehrte: diese Überlegungen bildeten sein literarisches Programm. Naturnähe, Lebensunmittelbarkeit, Wahrheitssuche sollten in Alltagserfahrungen erfaßt werden und an

Szene aus der Uraufführung von «Pankraz erwacht». «Junge Bühne», Berlin. Zeichnung von Rudolf Schlichter

Zuckmayer und Heinz Hilpert

den gesellschaftlichen Ereignissen der Gegenwart gemessen werden. In Grundzügen ist in diesen Gedanken nicht nur Zuckmayers Literaturtheorie der zwanziger Jahre festgelegt, sondern auch der Weg, den der Autor weiter ging. Überzeitliche Kunstmittel, Natur, Leben und über den Tag hinausreichende Wahrheit, neue Lebendigkeit der Wirkung und Werte: das sind Schlüsselworte für einen Theatermann, der unbekümmert die ältesten Bühnenmittel gebrauchte, der überschaubare Handlungen komponierte, farbige Bilderbogen ausstellte, kraftvolle Hauptfiguren und leicht wiedererkennbare Typen für seine Dramen wählte. Natur, Leben, Wahrheit sind in Zuckmayers Sinn keine philosophischen Kriterien, sondern emotional erfahrene Werte vom Glück des Daseins. Sentimentalen Gefährdungen ist der Dramatiker und Erzähler Carl Zuckmayer von diesem Grundansatz her immer wieder ausgesetzt gewesen. Dennoch macht es sich eine Kritik allzu leicht, die behauptet, Zuckmayer habe «von Anfang an gesellschaftliche Konflikte meist als Scheinkonflikte dargestellt»[70]. Walther Killy polemisiert gegen die Abwertung des Autors, spricht von literarischen Mißverständnissen, die in Deutschland unausrottbar zu sein scheinen. «Als ob das Theater zuallererst Vehikel von Weltanschauung zu sein hätte oder Erziehungsanstalt für ein politisches Bewußtsein, als ob es nicht (wie der Roman, dem ein gleiches zugemutet wird) Leben lebendig vorstellen und sein Publikum nachdenklich unterhalten dürfte. Die Theaterleute freilich waren von solchen Vorurteilen frei und nicht orientiert an den wetterwendischen Konzepten einer Literaturwissenschaft, die ihre Gesinnungszensuren ungefragt mit roter, brauner oder schwarzer Tinte verteilt. Sie waren am Theater interessiert und an den Bombenrollen, die Zuckmayer ermöglichte, und zwar gerade dort am lebendigsten und wirksamsten, wo nicht auch er dem Hang zur ‹Bewältigung› oder ‹Bewußtseinsbildung› nachgab. Die Stücke, die ihn berühmt gemacht haben, sind vortreffliches Theater.»[71]

Zwei Betrachtungsweisen stehen sich hier gegenüber. Von der einen Seite wird Zuckmayer mangelndes analytisches Vermögen vorgehalten. Die andere Seite preist sein Theatertalent. Die Kritiker des Autors wählen die Herleitung literarischer Produkte aus materieller Basis als Maßstab, seine Befürworter argumentieren aus der Meinung heraus, daß es ein Reservat für «Kunst» gebe. Literatur als relativ verselbständigter Gegenstand – oder Spiegel und Wirkkraft gesamtgesellschaftlicher Arbeitsprozesse? «Wenn man sich darauf einigt, daß es Schönes auch ohne Widerspiegelungsfunktion geben kann», sagt Fritz J. Raddatz in seiner Einleitung zu der Dokumentation «Marxismus und Literatur», «dann muß man sich noch keineswegs auf ein System der Wertindifferenz, der Beliebigkeit geeinigt haben. Hinter dem Genuß – also der ästhetischen Empfindung – beispielsweise einer runden Form, eines harmonischen Klangs, der Symmetrie kann eine Art Wiedererkennen des Lebens und bestimmter Gesetzmäßigkeiten stehen. In diesem Sinne mag Kunst eine ‹Funktion› haben und, wenn sie die Beziehung zwischen Lebenserlebnis und Formvision ausbalanciert, zur Einsicht in Zusammenhänge führen, zu gesellschaftlicher Relevanz. Diese Form des Wiedererkennens kann auch Utopie oder Hoffnung heißen; es ist jene Art Transparenz, von der Bloch im 17. Kapitel des ‹Prinzips Hoffnung› – jenem Kapitel, das er der utopiscnen Phantasie widmet – sagt: ‹Der Mensch ist nicht dicht›. Tränen, Tagträume, Ausfabeln von Phantasie, Gären und Brausen oberhalb des gewordenen Bewußten – das ist der Raum oder Hohlraum – in dem Mögliches, also auch Kunst, entsteht . . .»[72]

Lebensoptimismus, Hoffnung zeigen die gelungenen Arbeiten Zuckmayers, eine Balance zwischen Erlebnis und Formvision. Der Idealist Carl Zuckmayer, der einen materialistischen Realitätssinn enthüllen konnte, entzog sich der Wertindifferenz, der ins Sentimentale abgleitenden Beliebigkeit, wenn er eine klar umrissene Handlung baute, wirkungsvoll konfrontierende Szenenfolgen entwarf, Märchenhaft-Komödiantisches auf der Bühne zur Einsicht in gesellschaftliche Zusammen-

Max Reinhardt

hänge erweiterte. Diese Einsicht setzt sich jedoch nicht in einer genaueren Analyse der Gesellschaft fort. Das trennte Zuckmayer von seinem Freund Brecht, der Engagement und Parteilichkeit mit dem Proletariat forderte. Bertolt Brecht sah den realistischen Dichter als einen Anwalt der Wirklichkeit, der gegen überkommene und überholte Vorstellungen spricht und der die treibenden gesellschaftlichen Kräfte studiert, sie sogar in Bewegung setzt. Sein Postulat für ein «volkstümliches» Theater lautet: «. . . den breiten Massen verständlich, ihre Ausdrucksform aufnehmend und bereichernd / ihren Standpunkt einnehmend, befestigend und korrigierend / den fortschrittlichsten Teil des Volkes so vertretend, daß er die Führung übernehmen kann, also auch den andern Teilen des Volkes verständlich / anknüpfend an die Traditionen, sie weiterführend . . .»[73]

So grundverschieden die beiden Schriftsteller Brecht und Zuckmayer

Erwin Piscator

auch sind, für kurze Zeit fanden sie eine Übereinstimmung in einem *naturmythischen Erzzigeunertum.* Beide sangen zur Laute, liebten die Lieder Villons, siedelten nach Berlin als Dramaturgen um. Der Regisseur Erich Engel verschaffte ihnen die ausreichend dotierte Stellung an Max Reinhardts Deutschem Theater. Es war eine Art Stipendium, denn ihre Fähigkeiten als Dramaturgen brauchten sie nicht durch Mitarbeit zu beweisen. Am Ende der Saison wurden die Verträge für die beiden Dramaturgen nicht verlängert. Zuckmayer hatte aber wieder Kontakt mit dem Theaterleben in Berlin gefunden: eine glanzvolle Zeit mit Erwin Piscators Inszenierungen an der Freien Volksbühne, Reinhardts umjubelten Regieleistungen und Eric Charells «Großen Revuen». Auf einer turbulenten Feier von Theater- und Kunstleuten, auf der Männer in Badehose, mit Smokingschlips um den Hals, erschienen, Damen «Oben ohne», fand der trinkfreudige und lebenslustige Carl Zuckmayer die Beziehung zu einer Frau, die *ein bis zum Hals geschlossenes Kleid*[74] trug. Es war die Schauspielerin Alice Frank, geborene *Alice Henriette Alberta Herdan-Harris von Valbonne und Belmont – abgekürzt in Alice von Herdan*[75]. Sie war 24 Jahre alt, hatte eine Jugendehe hinter sich und war Mutter einer zweijährigen Tochter Michaela. Zuckmayer und Alice Frank fanden Interesse aneinander, trafen sich wieder und beschlossen zu heiraten. In den ersten Monaten der Ehe beendete Zuckmayer die Arbeit an der Komödie *Der fröhliche Weinberg in emsiger Mühe, denn er war von dem Bewußtsein durchdrungen, daß es mit der Libertinage ein End haben und ein richtiges, produktives Leben beginnen müsse*[76].

Dieses Stück wurde zunächst im Herbst 1925 von den Theaterdirektoren und den Regisseuren abgelehnt. Lektoren und Dramaturgen sahen keine Möglichkeit für eine Aufführung. Nur der Talentaufspürer Julius Elias, Chef eines dem Hause Ullstein gehörenden Bühnenvertriebs, einer der Mitbegründer der Freien Bühne in den achtziger und neunziger Jahren, glaubte an den Erfolg des Dramas und setzte die Uraufführung im Theater am Schiffbauerdamm unter der Regie Reinhard Brucks durch. Noch vor der Premiere erhielt der Verfasser für das ungespielte Stück den Kleist-Preis aus der Hand des Kritikers Paul Fechter. Der Kleist-Preis galt als die höchste literarische Auszeichnung für junge Dramatiker. Unbekannte Autoren und Anfänger sollten durch diesen Preis ermutigt werden. Brecht hatte den Kleist-Preis zwei Jahre vor Zuckmayer bekommen. Auch Hans Henny Jahnn, Bronnen, und vorher, in ihren Anfängen, Unruh, Toller und Hasenclever waren Preisträger – alle, die in der literarischen Welt als Hoffnung galten. *Ich selbst habe ihn*, sagt Zuckmayer, *als ich sieben Jahre später zum Vertrauensmann der Stiftung gewählt wurde, an Ödön von Horváth verliehen. Er bestand, außer in einer Würdigung des preisgekrönten Werks, die von der gesamten deutschen Presse veröffentlicht wurde, in einer Geldsumme von fünfzehnhundert Mark.*[77]

Das Drama *Der fröhliche Weinberg* befreite den Autor von finanziellen Sorgen. Mehr als einhundert Bühnen erwarben unmittelbar nach der Premiere telegrafisch die Aufführungsrechte. In vielen Städten verursachte das Stück Theaterskandale. In Berlin wurde das Lustspiel am Lessing-Theater mehr als fünfhundertmal innerhalb von zwei Jahren gespielt. Es brachte Applaus, Beifallsstürme und Lachen, aber auch Proteste, Widerspruch, Wutausbrüche deutschnationaler Gruppen.

Nach dem Zweiten Weltkrieg hat sich das Stück die Bühnen nicht zurückerobern können. Holzschnittartige Späße, denen der Zuschauer in

Mit Alice Frank. Berlin, 1925

54

Julius Elias

den zwanziger Jahren einen satirischen Ernst abgewinnen konnte, deftige und weinselige Lebensnähe, rheinische Lokalfarben, Dialektsprache, das alles mochte dem Theaterpublikum den Sieg des deftigen Instinkts über berechnende Unnatur, den Sieg des alten Volksstücks über modernistische Theaterexperimente vorspiegeln. Der überwältigende Erfolg in den zwanziger Jahren läßt sich aus der geschichtlichen Situation erklären. Man hatte Weltkrieg, Untergang der alten Staatsordnung, eine angefangene Revolution erlebt. Geldentwertung, Parteienkämpfe, Krisen und Zweifel an der Demokratie irritierten das sozial weitschichtige, aber eher kleinbürgerliche Theaterpublikum. Deshalb wollte ein Teil der Theaterzuschauer, der naiv war oder sich naiv gab, einfache, eindeutige und überschaubare Handlungen und Personen erleben. Das volkstümliche Lustspiel bot Menschen an, die mit ihren Problemen auf herzhafte Weise, ohne die seelischen Zerrüttungen einer von Wirtschaftssorgen geschüttelten Großstadt fertig wurden.

Eine andere Zuschauergruppe gab sich aufgeklärt. Vom verstiegenen Menschheitspathos des Expressionismus war man kuriert. Den Ehrgeiz der sich an Tagesereignissen messenden Autoren empfand man als unbefriedigend. Das Volksstück bildete für diese Gruppe einen exotischen Reiz, ein vorintellektuelles Vergnügen. Und der tonangebende bürgerliche Theaterkritiker Alfred Kerr lobte Zuckmayer, weil sein Spaß «das Theater heute vielleicht vor dem hemmungslosen Literatenmist rettet: vor der anspruchsvollen Unmacht, vor dem sabbernden Chaos . . . und einen letzten Damm baut gegen das bereits überlegene Kino»[78]. Die Kulturinstanz Theater wurde hier gegen das Kino verteidigt, eine Kulturinstanz, die Zuckmayer durch Identifikationsangebote zwischen Bühne und Publikum erhalten wollte. Daß vielen Dramatikern der Weimarer Republik die Identifikationslust der Zuschauer bedenklich wurde, sie zu praktischen Gegenmaßnahmen führte, hat Zuckmayer nur indirekt beschäftigt. Während Brecht und Horváth nach neuen Identifikationsobjekten – etwa Situationen, Gruppen, Konflikten – suchten, auf eine Mitarbeit der Zuschauer rechneten, ein theatralisches Mitdenken, während also Dramatiker der gegenwärtigen Wirklichkeit der Republik szenisch beizukommen suchten, hielt Zuckmayer an einer herkömmlichen Dramaturgie fest, an umrissenen Hauptfiguren und Einzelschicksalen.

Zuckmayers Freund Ödön von Horváth machte sich die Fortsetzung und Zerstörung des überlieferten Volksstücks zum Programm. Die alten Fertigteile sollten montiert werden, um sie dann zu demontieren. Eine formale Demontage des alten Volksstücksschemas findet sich in Zuckmayers Lustspiel *Der fröhliche Weinberg* nicht, auch nicht eine Zerstörung des propagandistisch verklärten Bildes von der echten, ursprünglichen und kraftstrotzenden Gemütsfülle. Allerdings, ein konservativer Volksstücksideologe ist Zuckmayer mit seiner Komödie nicht, denn er holte Gestalten des 20. Jahrhunderts auf die Bühne, etwa den von Volksgesundheit schwärmenden Standesbeamten Kurrle und den sich betrunken auf dem Misthaufen wälzenden dünkelhaften Assessor Knuzius. Knuzius wirbt um seine Geliebte mit den Worten: *Indem ich ohne Ansicht von Stand, Rang und Name um ihre Hand anhalte, gedenke ich nicht nur die Erfüllung persönlicher Wünsche, sondern auch die Gesundung unseres Volkes im Hinblick auf seine Tugend, Wehrhaftigkeit, Sauberkeit, Pflichttreue und Rassenreinheit zu erstreben!*[79] Knuzius, ein Vorbote nationalsozialistischer Herrschaft, wird von Zuckmayer satirisch gezeichnet. Knuzius' Sprache ist vom Politjargon zersetzt. Der Assessor wird zur Kontrastfigur der Mundart sprechenden Hauptpersonen. Doch diese rheinhessische Mundart wirkt bei Zuckmayer zuweilen wie ein Idyll, eine Sprache, die unbeirrt die Dinge des Lebens benennen kann, etwa wenn Annemarie Most dem verliebten Klärchen Gunderloch erklärt, daß sie sich für ihren Geliebten und gegen ihren Verlobten Knuzius entscheiden könne: *Lieb Kind, glaub mir: es rächt sich nichts, was du mit Witz machst, und mit Spott oder Lust und Schwindel, wenn*

Szene aus «Der fröhliche Weinberg».
Berlin, Theater am Schiffbauerdamm, 22. Dezember 1925

Ödön von Horváth

das Herz echt ist dabei, und inwendig der Ernst und die wahre Lieb, da gibt's fürs Auswendige keine Straf und kein Katechismus, nicht im Himmel und erst recht auf der Erd nicht . . . sondern nur bei den Menschen, die zu krumm sind fürs Krautschießen und zu eng fürs Blätterwehn, und die nicht spüren, wie uns der Herbst heiß macht mit Knall und Fall und Gejohl, und mit Obst und Nüß und Most und zerquetschten Trauben, und wie er zum Frühling braust![80] Klärchen spricht von ihren Gefühlen. Sie bestätigt, daß es für das *Inwendige* keine Strafe geben kann. *Ich kann's nicht so sagen, aber ich fühl's grad so wie du, und es dreht mich herum ganz wirblig, als hättst du mir viel zu trinken gegeben, aus unserm großen Kirschwasserkrug, ei hörst du nicht, wie mein Herz*

60

laut ist . . . nein, nein, die Heilig Jungfrau selbst kann's mir nit übelneh-
men, weil's doch aus Lieb geschieht . . . [81]

Die Möglichkeiten der Sprachkollision zwischen Mundart und Hochsprache, zwischen dem naiven Mädchen Klärchen und dem arroganten
Assessor Knuzius, zwischen den Einheimischen und dem studierten
Erbschleicher nutzt Zuckmayer kaum, allenfalls zu derben Späßen. Die
lächerlich traurigen Diskrepanzen von Komik und Tragik hat er nicht
ausgespielt. Knuzius' großmannssüchtiger Jargon wird im *Fröhlichen
Weinberg* bruchlos von der sinnlichen Mundart überflügelt. Der Synthe-
se von Ernst und Ironie entzieht sich der Autor zugunsten plakativer,
greller Späße. [82]

Das alte Volksstück hatte der konservativen Theatertradition Ernst-
haftigkeit für die Dramatisierung der Unterklassen abgetrotzt. Solche
eindeutige gesellschaftliche Sicht arbeitet Zuckmayer in der Komödie
Der fröhliche Weinberg nicht heraus. Er zeigt eine buntgemischte Gruppe aus Bauern, Händlern, Wohlhabenden, die sich bei einem Weinguts-

Die drei Paare aus «Der fröhliche Weinberg»

besitzer zur Zeit der Weinlese eingestellt hat. Es gibt Paare, die sich suchen und nicht zusammenfinden, die getrennt werden und sich mit anderen Partnern verbinden. Das steht ganz in der Lustspieltradition. Das glückliche Ende der zusammengeführten Paare gehört dazu. Wirtshausrempeleien, Kämpfe und Streit ergänzen das Bild. In das Possenhafte mischen sich unvermittelt sozialpolitische Schlaglichter auf den Antisemitismus und den Hurra-Patriotismus einer kleinbürgerlichen Veteranengeneration. Doch die gesellschaftskritischen Aspekte bilden Randzonen der Komödie um den Weingutsbesitzer Gunderloch, seine Tochter Klärchen, den Rheinschiffer Jochen Most, den Gastwirt Eismayer und die Weinreisenden Rindsfuß, Vogelsberger und Stenz. Einige dieser Familiennamen gab es in Zuckmayers Geburtsort Nackenheim, so daß die Kleinstädter sich beleidigt fühlten und den Autor verklagten. Das alles mehrte nur Zuckmayers Ruhm und Erfolg, denn nicht nur Nackenheimer und Deutschnationale protestierten, *weil das Stück ihnen etwas wegnahm, was sie gepachtet zu haben glauben: deutsche Landschaft, deutsches Volkstum ohne «Blut-und-Boden-Geschwätz»*[83], sondern zu Zuckmayers Überraschung meldeten sich auch Studenten lärmend zu Wort, die sich mit dem verbummelten Mitgiftjäger Knuzius identifizierten. Knuzius, der sich als Akademiker aufspielt, die Erbschaft des reichen Weingutsbesitzers Gunderloch durch eine Heirat mit dessen Tochter Klärchen zu gewinnen hofft – dieser eitle Assessor scheitert an der Ehevoraussetzung seines erwünschten Schwiegervaters. Vor der Hochzeit nämlich soll Knuzius beweisen, daß er fähig ist, für den Fortbestand der Familie Gunderloch zu sorgen. Klärchen, die den Rheinschiffer Jochen Most liebt, täuscht eine Schwangerschaft vor, um weitere Annäherungsversuche des Assessors zu verhindern. Da Knuzius' Vaterschaft bezweifelt wird, fühlt sich dieser in seiner Männlichkeit beleidigt, läßt sich auf eine Prügelei ein, in der Jochen Most den vermeintlichen Nebenbuhler niederschlägt. Im Wirtshof, im Heuschober und einer Laube finden sich schließlich neue und alte Paare zusammen. Auch Knuzius, der bei Tagesanbruch auf einem Misthaufen erwacht, bekommt seine Frau, allerdings nicht Klärchen, die sich mit Jochen Most verbindet. In einem Weinhymnus, Tanz und Gesang, klingt das Stück aus.

Das in rheinhessischer Mundart geschriebene Lustspiel bezeichnet den Bruch des Autors mit Inhalten und Stilmitteln des Spätexpressionismus. Es ist ein Zurückgreifen auf die deutsche Mundartkomödie, die sich nach ersten Ansätzen in den mittelalterlichen Fastnachtsspielen und regionalen Nachahmungen der commedia dell'arte und dem Wiener Volkstheater entwickelte. In Darmstädter Mundart hatte Ernst Elias Niebergall 1841 seine Lokalposse «Datterich» veröffentlicht. Dieses Spiel mit seinen Parodien auf den klassisch-idealisierenden Tonfall der Tragödie bot

*Illustration von Fritz Kredel zu einer Aufführung von Ernst Elias Niebergalls
«Datterich» in Darmstadt, 1962*

Zuckmayer Anregungen. Ebenso bezog er sich auf Adolf Glaßbrenner,
der im 19. Jahrhundert witzige Hiebe gegen das Gottesgnadentum der
Könige austeilte und politische Satiren schrieb. Vorbild war aber auch
Ferdinand Raimund. Der Wiener verarbeitete in seinen Schauspielen
Elemente des Märchens. Eine Welt, die sich in Gut und Böse teilen ließ;
auch Belohnungs- und Strafmechanismen gab es bei ihm. Hierzu gehört
ferner die wiedereinzurenkende Störung einer umfassenden Ordnung.
Dieser Spielregelkanon klingt als Orientierungsmuster bei Zuckmayer

Ferdinand Raimund. Gemälde von Friedrich Schilcher, 1836

an. Anlaß für seine dramatischen Handlungen ist immer wieder die Störung der natürlichen Ordnung, der Schicksalsbejahung («Amor Fati»). So vergißt etwa der Weinbergbesitzer Gunderloch seine Bestimmung, die elementare Sinnlichkeit, und versucht seinen Geldbesitz zu erhalten. Damit zerstört er die Ordnung seiner «Natur» und zwingt seiner Tochter einen unerwünschten Liebhaber auf. Auch sich selbst kann er nicht mehr akzeptieren, denn er spricht angewidert von seinen Zukunftsplänen. Gunderloch, in seinen Moralvorstellungen ein unkonventioneller Mann, erkennt schließlich seinen Irrtum. Das Geschwisterpaar Annemarie und Jochen helfen Gunderloch und Klärchen, den Irrweg zu verlassen. Die Menschen werden wieder Teil der Natur, nämlich «Nußbäumche», «Herbstapfel».

Ansatzweise wird sichtbar, daß in dem rheinhessischen Lustspiel zwischen Schicksalsbewegung und Geldinteressen ein Zusammenhang hergestellt ist, der den idyllischen Rahmen des Spiels zumindest einschränkt. Die zeitgenössische Auswirkung des kapitalistischen Wirtschaftssystems wird als Störung von «Amor Fati» erkennbar. Eine anachronistische Unschuld des arglosen Gewerbslebens und des naiven Liebeslebens gibt es bei Zuckmayer nicht. Alltagsgegenwart der Weimarer Republik erreichte der Autor auch mit politischen Phrasen, sprachlichen Klischees, mit eingestreuten Liedern vom Rehlein und Reservistengesängen.

Carl Zuckmayer setzte in dieses im Herbst 1921 zur Zeit der Weinlese

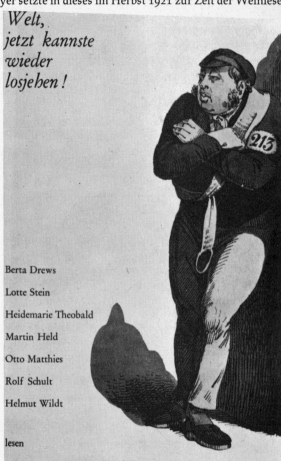

Welt, jetzt kannste wieder losjehen!

Berta Drews

Lotte Stein

Heidemarie Theobald

Martin Held

Otto Matthies

Rolf Schult

Helmut Wildt

lesen

«Eckensteher Nante». Zeichnung zu Adolf Glaßbrenners Volksstück

Glaßbrenner

in der Werkstatt des Schiller-Theaters am 16. und 22. Mai 1973 spielende Stück trotz seiner literarischen Vorbilder, trotz seiner Anlehnung an die Traditionen des Lustspiels und des Volksstücks, trotz seines Berufens auf Gerhart Hauptmann als *Erzvater und Legende, Mythos und brennende Wirklichkeit zugleich*[84] zum erstenmal nicht nur vorgefundene literarische Erfahrungen ein. Er entdeckte seine *Eigenkraft*[85]. Es ist ein dionysisches Lebensgefühl, ein Realismus, der Menschen und Dinge lächelnd betrachtet, der hohle Phrasen von Veteranen, Geschäftstüchtigkeit und schnarrende Protzerei satirisch darstellt. Es ist eine Theaterliteratur, die an Lustspiel- und Volksstück-Tradition anknüpft, die durch emotionale und derbe Einfärbungen Zuckmayers Originalität, auch seinen Hang zur Sentimentalität offenbart. Die Wiederentdeckung der Mundartpoesie für das Theater, nach der Welle expressionistischer O-Mensch-Dramatik, gehört zu Zuckmayers Leistungen. Schon 1922 hatte Carl Sternheim in seinem «Arbeiter-Abc» geschrieben, daß Benennungen oft nur dazu dienen, das Wesen eines Gegenstandes unkenntlich zu machen. Er plädierte für mehr Konkretheit, für eine «Revolutionierung der deutschen Sprache». Aber Sternheim war kein Arbeiterdichter, und auch der Gebrauch der Mundart bei Zuckmayer ist nur gelegentlich darauf aus, die Sprache der sozial Schwachen als antagonistisches Modell gegen eine Herrschaftssprache einzusetzen. Dialekt, das war für Zuckmayer neues, unverbrauchtes Sprachmaterial, das war Überraschung, Witz und Differenzierung, die in den eingefahrenen Gleisen der expressionistischen Hochsprache für ihn nicht mehr zu erreichen waren. Die Hinwendung zum kleinstädtischen Alltag, zum Dialekt ist in dem Lustspiel *Der fröhliche Weinberg* kein Rückzug aus den gesellschaftspolitischen Erfahrungen der Weimarer Republik. Vielmehr steckt in diesem Regionalismus ein Protest gegen die Entmündigung durch den Politjargon der Nationalisten, gegen die politischen Übergriffe der Kriegsveteranen, gegen die Phrasen der Beamten und umherreisenden Händler. Mit diesem Regionalismus sind jedoch Risiken verbunden. Er kann dazu verführen, nur noch gefühlsmäßig zu reagieren, rationale Argumente auszusperren; es besteht die Gefahr unmerklicher Entpolitisierung.

Von Geld ist die Rede, von wem noch?

Er hatte «Schulden wie ein Major» . . .

... und dieses Sprichwort traf auf ihn buchstäblich zu: Er war Offizier der preußischen Armee, nahm tapfer an zwei Kriegen teil, wurde beide Male verwundet, wurde befördert, und mußte dann wegen allzu großer Schuldenlast den Abschied nehmen. Und das ausgerechnet in der Zeit der berühmt-berüchtigten Gründerjahre, als Tausende reich wurden, die den Krieg nur vom Gewinn her kannten. Den Armen hielt's nicht mehr im Lande, er wanderte nach Amerika aus und schlug sich mühsam durch, als Sprachlehrer, als Klavierspieler, als Gelegenheitsarbeiter.

Schließlich zog es ihn doch wieder in die Heimat zurück. Er bekam einen Posten als Deichhauptmann, als Kirchspielvogt und hatte Zeit, Gedichte zu schreiben. Sein erster Band wurde freundlich kritisiert, er wurde freier Schriftsteller in München, dann in Berlin, aber aus seinen bedrängten finanziellen Verhältnissen kam er zeitlebens nie so recht heraus.

Er gilt heute als Meister des impressionistischen Gedichts, als Vorkämpfer des Naturalismus, doch obwohl sein Name noch allgemein bekannt ist, dürfte es manchem schwerfallen, auch nur einen Titel des Dichters zu nennen. Dabei ist eines seiner Gedichte in populärer Vertonung und in der Interpretation zahlreicher Sänger (die mehr daran verdienten als der Autor) heute noch oft in Sonntags- und Wunschkonzerten zu hören, mit seinem «Tschingtsching-bumbum».

Der Dichter, der mit Vornamen Friedrich Adolf Axel hieß, sich aber anders nannte, starb 1909 in Alt-Rahlstedt, das heute zu Hamburg gehört. Von wem war die Rede?

(Alphabetische Lösung: 12-9-12-9-5-14-3-18-15-14)

Pfandbrief und Kommunalobligation

Meistgekaufte deutsche Wertpapiere - hoher Zinsertrag - schon ab 100 DM bei allen Banken und Sparkassen

Verbriefte Sicherheit

«SCHINDERHANNES»

Der Krach um den «Fröhlichen Weinberg», schrieb Zuckmayer, war nicht einfach ein Schildbürgerkrawall gewesen, über den man sich hätte lustig machen können. Er hatte die bösen, unversöhnlichen Fratzen enthüllt, das verzerrte Gesicht einer nach Haß und Rache lüsternen Rückständigkeit, die im Begriff war, das deutsche Volk um seine beste und hoffnungsvollste Zeit zu betrügen, seiner freien Zukunft das Grab zu schaufeln. All das war schon damals im Gang – getarnt, verborgen, aber unablässig hetzend und wühlend. Wir spürten, wenn wir das auch nicht klar erkannten oder geglaubt hätten, daß wir auf Galgenfrist lebten, daß die gute Zeit, die jetzt vor uns lag, bedroht und bemessen war.[86]

Die Weimarer Republik, eine improvisierte, nicht vorgedachte, eine von vielen nicht gewünschte, eine nicht erkämpfte Demokratie, füllte ein Vakuum aus, das durch den Sturz der Monarchie entstanden war. Fünf Jahre lang, von 1919 bis 1924, rang der Staat um seine äußere und innere Existenz. Bis zum November 1923 befand sich Deutschland in einer latenten Bürgerkriegssituation. Der Dollar stieg Ende 1923 in die Millionen Mark. Im Osten drohten rechtsradikale, in Sachsen und Thüringen kommunistische Aufstände, in Bayern schien eine monarchisch-partikularistische Umwälzung bevorzustehen. Rechtsgerichtete Kreise planten eine Diktatur. Am 9. November 1923 startete Adolf Hitler einen Putschversuch, der niedergeschlagen wurde. Friedrich Ebert und Gustav Stresemann konnten die innerstaatlichen Probleme für kurze Zeit lösen. Die Mark, deren Dollarwert auf 4,2 Billionen Inflationsmark abgesunken war, stabilisierte sich. Die USA griffen vermittelnd in deutsch-französische Konflikte ein. Im September 1924 verständigten sich Deutsche und die Alliierten über die Höhe der Reparationszahlungen, die die Weimarer Republik immer wieder in Probleme gestürzt hatten. Frankreich räumte binnen Jahresfrist das Ruhrgebiet, das es als Zahlungspfand besetzt hatte. Die deutsche Wirtschaft erlebte mit Hilfe amerikanischer Kredite einen schnellen Aufstieg. Die Wiederkehr normalen Lebens und die Hebung des Lebensstandards führten zu einer vorübergehenden Konsolidierung der Demokratie. Aber der 1925 sichtbare allgemeine Aufschwung täuschte, denn die Stabilisierung der Mark war mit der vollständigen Enteignung des breiten Mittelstands bezahlt worden. Unzufriedenheit, das Fehlen an politischer Geduld stellten das Gegenbild der kurzen «Goldenen zwanziger Jahre» von 1925 bis 1929 dar, in denen Zuckmayer seine ersten großen Theatererfolge feierte, aber auch seine Kämpfe mit den Antirepublikanern ausfocht. Denn er war in ihre vermeintliche Domäne eingebrochen mit seiner *Hinwendung zum Volkston, auch zum Gefühl*

Gleich nach dem Erfolg und dem Streit um das Lustspiel *Der fröhliche Weinberg* setzte sich Zuckmayer an die Bearbeitung des Schinderhannes-Stoffes. In seiner Jugend hatte er in Gonsenheim eine Moritat gesehen, die das Leben und Sterben des Räuberhauptmannes schilderte. Als Dramaturg faßte Zuckmayer in Kiel für eine Matinee die *Mainzer Moritat vom Schinderhannes* in balladesken Strophen ab. Gelegentlich trug er die Verse selbst vor. Zuckmayer griff auf Legenden vom wilden, romantischen Räuber zurück, der über Ausbeuter und Bösewichte zu Gericht sitzt, der dazu auffordert, die Schlösser der Reichen zu stürmen. Ein Volksstück, das im 19. Jahrhundert im Böhmerwald entstand, beschreibt den edlen Räuber, der ein Helfer der Armen ist. Wenn auch der historische Johann Bückler, genannt Schinderhannes, nach den Zeugnissen des «Neuen Pitaval» ein Wegelagerer war, ein gewalttätiger Rechtsbrecher, so suchte sich das unterdrückte Volk «seine Helden stets selbst aus, ohne viel nach der historischen Wirklichkeit zu fragen», wie Alfred Kosean-Mokrau in seinem Buch «Räuberleben – Räubersterben» schreibt. «Die hungernden Weber der schlesischen Gebirge, die Bauern des Thüringer Waldes, der Rhön und der Westerwaldhöhen, in Tirol und Kärnten, sie träumten einfach nur von finsteren Rächern ihres Elends. Von Rebellen, die den Unterdrückern entgegentraten, ihnen den rücksichtslos erworbenen Reichtum abnahmen und an die Armen verteilten. Von Empörern, die alle Schändlichkeiten bestraften, die großen Herren nach Verdienst peinigten und eben alles das taten, wozu die Unterdrückten, bedroht von der staatlichen Macht, nicht in der Lage waren. Oder sie bäumten sich gar selbst einmal in wilder Verzweiflung und blindwütigem Haß auf, wurden dafür zusammengeschlagen und -geschossen und fielen dann wieder in ihre Hoffnungslosigkeit und rachsüchtigen Träume zurück.»[88] Als Beispiel für die Erhebung gegen Unterdrücker und Peiniger nennt Kosean-Mokrau den Aufstand der schlesischen Weber von 1844. Diese Elenden und Hungernden hatten von Rächern gehört, von Verteidigern ihrer Rechte, und so entstanden ihre Legenden, etwa auch die vom Schinderhannes. «Es fanden sich Leute, die sie in Lieder und Spiele faßten. Und das Volk lief, die ersehnten Rächer wenigstens auf der Bühne zu sehen, gerührt, das eigene Schicksal dargestellt zu finden. Von dieser Seite betrachtet kann man dem russischen Sozialkritiker Belinski[89] nur zustimmen, wenn er von der Räuberpoesie behauptet, daß sie ‹mehr geschichtliche Wirklichkeit enthalte›, als manche Volkskundler wahrhaben wollen.»[90]

An diese alten Legenden knüpfte Zuckmayer in seinem Drama *Schinderhannes* an. Sein Ziel war nicht, aus seinem Räuber einen modernen, von seelischen Konflikten zerrissenen «Verbrecher aus verlorener Ehre»

Besetzung des Ruhrgebiets: französische Panzer in Essen, 1923

zu entwerfen. Ihn interessierte die sozialrevolutionäre Aura, wie sie dem Typus des Räubers seit Schillers Drama «Die Räuber» (1781) und Vulpius' Schauspiel «Rinaldo Rinaldini» anhaftet. Mit seinem Moritatenstück um den rheinischen Volkshelden Johann Bückler, der in der Zeit Napoleons im Taunus und Hunsrück reichen Kaufleuten auflauerte und der nach der Legende auch gegen die französische Besatzungsmacht kämpfte, fügte der Autor dem Genre des grob-lustigen Volksstücks eine neue Variante hinzu. Die possenhaften Elemente treten in diesem Schauspiel, das Zuckmayers *Deutschen Dramen* zugeordnet wird, in den Hintergrund. Mit dem *Schinderhannes* konnte der Dramatiker erneut auf einen Stoff aus seiner rheinhessischen Heimat und auf die Mundart dieses Gebietes zurückgreifen. Seine ins Gewand des Volksstücks gekleidete Räuberballade vom Streiter für soziale Gerechtigkeit und nationale Freiheit, vom vitalen und humorgesättigten Johann Bückler, brachte dem Autor 1927 die Zustimmung seines Publikums und viele wohlmeinende Kritiken ein. Das Stück schildert einen deutschen Robin Hood, der eine

69

gerechtere Güter- und Machtordnung herstellen will. Seine Handlungen richten sich gegen die deutsche Obrigkeit. Grundsätzlich vermeidet der Schinderhannes den Mord. Seine Umtriebe beschreibt Zuckmayer als Provokationen, die zwar eine formalgesetzliche Schuld, aber keine moralische ergeben. Bauern, Handwerker und Arbeiter stehen auf der Seite des Räubers. Der Bauer Rotkopp sagt vom Schinderhannes: *Uns kleine Bauern nehme die Räuber nix ab. Das besorgt der Staat un die Kirch und die Steuer un der Fürst un der Pächter un de Kaufmann un de Zinsjudd ganz allein!*[91] Ein Achatschleifer stimmt ihm zu: *Ich sag, wenn's de Schinderhannes nit gäb, da müßt er erfunde werde, damit die reiche Leut auch emal merke, wo Gott wohnt!* Auf den Einwand eines Händlers, ob die Bauern und Arbeiter denn gar kein Rechtsgefühl hätten, entgegnet ein Fuhrmann: *Mir hawwe nix und werde nix hawwe, ob mit oder ohne Schinderhannes.* Ein Kaufmann erklärt, daß nur die Faulheit arm mache. Der unerkannte Bückler protestiert: *Das wär mir neu, daß ma durch Arbeit zu was kommt!*[92] Der als wohlhabender Reisender verkleidete Räuber setzt seine Lebensphilosophie hinzu. Er könne sich Schweinerippchen nur deshalb leisten, weil er für fremde Leute keinen Knöchel krumm mache. Seiner Geliebten erklärt er später, daß er nicht einschätzen könne, ob er für seine Taten bestraft werde. Er kümmere sich nicht um die Gesetzgeber. *Ich hab se nie gefragt un werd sie nit frage! Was wachse muß, schlägt aus!*[93] Dieser Revolutionär sieht, daß die Gesetze für die Wohlhabenden des Landes gemacht sind. Er tritt für eine Menschlichkeit ein, die er bei den Reichen nicht findet. So beschimpft er Großgrundbesitzer: *Ihr Dreckmäuler, ihr Knechtschinder, euch kenn ich! Mei halb Kinderzeit hab ich vor eure Hoftorn gestande, um e Krüstche Brot! Immer die selb Litanei: bei de Arme kriegt ma als noch e Notbrocke –– bei de Reiche nix wie Hundsbiß! Gestäupt bin ich worde, mit nasse Birkezweig, vor alle Leut, auf de nackte Arsch! wege e paar verlauste Pferdsdecke! No, jetzt habt ihr mir das Arschgeld bald bezahlt!*[94] Zuckmayers Schinderhannes verhält sich selbst nicht nur als Sozialrevolutionär, er stachelt auch die einfachen Leute zum Aufruhr an, denn sie erkennen zum Beispiel, daß Ausfuhr und Handel, Kriegführung und Zinsen nur den Herrschenden nützen. *Das sin unser Brotherrn,* sagt der Steinbrecher, *die hole's Militär, ob deutsch oder französisch, von de Fürschte oder von der Republik, damit se mehr Profit un uns schlechter bezahle könne!*[95] Ein Holzknecht ergänzt: *De Fürscht von Lahnstein will sein Wald verjuxe, und mir hawwe die Händ voll Blase! Ei, hat denn der die Tanne wachsen lasse un auf die Buchewurzel geregnet?!*

In dieses legendenhafte Bild vom Rächer der Ausgebeuteten, in diesen Rahmen des klassenkämpferischen, vitalen Räubers fügt Zuckmayer noch die Überlieferung des «Nationalhelden» Bückler. Revolutionskrie-

Der Räuberhauptmann Johann Bückler, gen. Schinderhannes.
Zeitgenössische Darstellung

ge, die Zeit der Eroberungszüge Napoleons, die französische Besetzung des linken Rheinufers, das erwachende Nationalbewußtsein in Deutschland hatten die Komponente eines Widerständlers gegen die Besatzungsmacht in die Legende eingebracht. Daran stimmte historisch nur, daß der Räuber Johann Bückler in Auseinandersetzungen mit den französischen Polizeibehörden geriet, weil er im wesentlichen in den damals französischen Hunsrückbergen plünderte. Jeder Diebstahl aber und jeder Über-

Curd Jürgens als Schinderhannes in dem gleichnamigen Film

fall, mit dem er die Behörden in Mainz oder Koblenz herausforderte, wurde in der Überlieferung als nationale Heldentat gefeiert. Diesen Bereich der Legende übernimmt Zuckmayer nur teilweise, denn sein Schinderhannes erkennt: . . . *mit dene paar Franzose is es nit geschafft! Was geht mich an, ob einer deutsch redt oder türkisch! Wer hier nit für uns ist, der is gege uns un fliegt raus!*[96] Der Amtmann, der Bürgermeister und der *Dreckjudd* sollen aus dem Land geworfen werden, auch die

Pfaffen. Der Achatschleifer differenziert das Pauschalurteil: *Judd oder Christ, alle Kaufleut müsse raus, un alle Lohnschinder müsse raus!*[97]

Ist das Drama *Schinderhannes* also ein gesellschaftskritisches Stück, das im Umfeld der napoleonischen Zeit auf die Gegenwart anspielen soll? Hat das Schauspiel in vier Akten eine klassenkämpferische Zielrichtung? Um diese Fragen zu beantworten, muß die Handlung des Dramas genauer untersucht werden. Bückler, ein Freund der Armen und Unterdrückten, befreit Bauern, Handwerker und Arbeiter von Steuern und wucherhaften Zinsen. Er führt mit seiner Räuberbande eine Art Privatkrieg gegen die französische Armee und die von ihr unterstützten Kaufleute und Geschäftemacher. Kirche, Grundherren, Fürsten und Beutelschneider bezeichnet er als seine Gegner. Sie sind die Ausbeuter der Armen. Bückler, der die Bänkelsängertochter Julchen Blasius liebt, hat das einfache Volk hinter sich. Gegen Julchens Widerstand, die deshalb von ihm verlassen wird, unternimmt er einen tollkühnen, aber sinnlosen Kampf gegen einmarschierende französische Rheintruppen. Die Bande löst sich auf, läßt sich zum Teil jenseits des Rheins bei den Preußen anwerben, und Bückler findet zu seiner Geliebten zurück. Julchen hat inzwischen ein Kind geboren. Der Schinderhannes nimmt die Mutter und das Kind mit sich, wird aber, als er sich wie viele andere Bandenmitglieder zum kaiserlichen Dienst stellt, von früheren Kumpanen verraten. Ein Militärgericht verurteilt ihn als *politischen* Verbrecher zum Tode.

Eine leidenschaftliche humanitäre Grundhaltung bestimmt Zuckmayers Drama. Possenhafte Elemente und auch rührselige Szenen, wie etwa Bückers Abschied von Julchen im Mainzer Festungsgefängnis, begleiten die Haupthandlung. Trotz der sozialkritischen Anklagen ist Zuckmayers Kritik kein grundsätzliches Analysieren historischer Verhältnisse. Sein Interesse gilt in erster Linie dem vitalen und anarchischen Schinderhannes, der gegen das Böse und für das Gute kämpft. Diese schwarz-weiße Weltzeichnung, in der Bücklers Gegenspieler farblos bleiben, hat ein märchenhaftes Element, das der Autor als *metapolitische Weisheit*[98] versteht. Bewundernd sprach Zuckmayer von dem eigenen Gesetz der Dichtung und identifizierte sich mit seinem Vorbild Gerhart Hauptmann, den er fern aller *aktivistischen Thesen seiner Zeit – bei aller leidenschaftlichen Anteilnahme an ihren Kampfzielen* sah, *denn jede Parteilichkeit, jeder doktrinäre Fanatismus, würde für den schöpferischen Menschen bereits Verzerrung und Geisteszwang bedeuten . . . die menschliche Problematik, die ihn bedrängt und der er Gestalt geben möchte, die Schicksalsmächte, denen sie entwächst, treten ihm in den gesellschaftlichen Konflikten, Notständen und Gegensätzen, im Zeichen des Volkes, dessen Sprache er spricht und versteht, gebieterisch entgegen. Doch hat er nie die wirtschaftlichen Verhältnisse allein als Form-*

Die Wiesmühl in Henndorf, Salzkammergut

*kräfte des menschlichen Schicksals oder Schlüssel zu seiner Bewältigung
betrachtet und sich nie einer solchen Ideologie verschrieben . . . Freiheit
von Zwang und Mißbrauch, Selbsterlösung und Selbstgestaltung des
Volkes, waren für ihn die natürlichen Aggregate einer alle umfassenden
Gotteskindschaft.*[99]

Diese 1962 geäußerten Bemerkungen über Gerhart Hauptmann zeigen
den Weg, den Carl Zuckmayer mit seinem Drama *Schinderhannes* 1927
einschlug. Schicksal, Gotteskindschaft und Schöpfer sind Begriffe, die
sein Verständnis vom Menschen umreißen. Die als zentral erkannten
sozialen und wirtschaftlichen Erfahrungen werden zweitrangig, das heißt
die Definition des menschlichen Wesens als eines geschichtlichen weist
Zuckmayer zurück. Hegel hatte im 19. Jahrhundert erkannt, daß jede
Erkenntnis vermittelt ist. Sie spiegelt das Werden wider, durch das sie
hervorgebracht wurde. Nach Hegel ist der Mensch nichts anderes als sein
Werden, und die Zeit des menschlichen Werdens ist nicht zu vergleichen
mit der Zeit der Natur. Das organische Leben, sagt Hegel, hat keine

74

In Henndorf

Karl May

Geschichte. Allein der Geist hatte für ihn eine Geschichte, die Vergangenheit und Zukunft sichtbar macht. Der Mensch wurde damit als ein handelndes Wesen verstanden. Geisteswissenschaft und Naturwissenschaft, die im 18. Jahrhundert in unmittelbarem Zusammenhang standen, trennten sich. Die Geisteswissenschaften, also in erster Linie die Geschichte, unterstanden nun dem Herrschaftsbereich des Willens, der Finalität. Zuckmayer bezweifelt diesen umfassenden Rahmen der menschlichen Rationalität. Er fragt sich nach dem Sinn der Geschichte und weist eine präzise Finalität zurück. Die Geschichte hat kein Ziel, sagt er sich, aber sie hat einen Sinn. Dieser Sinn ist für ihn das Leben selbst, die *Gotteskindschaft* des Menschen. Aus dieser Grundhaltung läßt sich bei Zuckmayer immer wieder ein antirationaler Affekt ablesen, Skepsis gegenüber denkerischen Systemen, Zweifel an der Klarheit des Verstandes. So spielt er gerne das Elementare gegen das Zerebrale aus, wenn er etwa den poetischen Sinn der Mundart erklärt: *Im Gegensatz zur zerebralen Bildungssprache ist Mundart völlig elementar, immer gegenständlich und ebenso immer im bildnerischen Sinne produktiv, weil sie aus der unmittelbaren Anschauung keimt, sproßt und wuchert. Sie kenn keine Abstraktion, aber sie vermag dem Gedachten, Geträumten, Erahnten, leibhaftigen Ausdruck zu geben, da sie Laut und Klang aus dem unbewußten Seelengrunde schöpft. Wo das Leibhaftige aufhört, verstummt sie, und überläßt es dem Dichter, den Geheimnissen des nicht mehr Sagbaren nachzulauschen. Denn was der Dichter nicht sagt, was zwischen und hinter seinen Worten steht, verleiht ihnen erst ihr wahres, fortwirkendes Leben.*[100]

Carl Zuckmayers Leitbild ist der Dichter Gerhart Hauptmann, der *in ungebrochener Naivität, nicht ohne Wissen und Weisheit, doch ohne das Medium der Reflexion, aus dem Weltganzen schöpfte und uns ein Bild der ganzen Welt, der ungeteilten Schöpfung hinterließ*[101]. Dies sind Wunschbilder, Projektionen Zuckmayers. Er schrieb in wenigen Worten eine Selbstanalyse. Ungebrochene Naivität, Bilder der harmonisierten Schöpfung, das bietet Zuckmayer in seinen Schauspielen dar. Dramaturgische Schwächen, aber auch die lebensvollen Figuren des Autors lassen sich mit diesen Gedanken fassen. Die gesellschaftskritischen Aspekte des Dramas *Schinderhannes*, wortgewaltig angemeldet, verlieren in diesem Zusammenhang ihren anklägerischen Anspruch. Der vitale, lebenslustige, trinkende und tanzende, das Leben als herausforderndes Abenteuer genießende Mann – der Schinderhannes – steht im Mittelpunkt des Spiels.

Ein Jahr lang schrieb Zuckmayer an dem Theaterstück *Schinderhannes*. Er, der sich nun ein Haus in Henndorf bei Salzburg kaufte und eine Wohnung in Berlin besaß, ließ sich Zeit mit der Ausarbeitung des Dramas. Das Drängen des Verlegers und seines Intendanten schüttelte der Erfolgsdramatiker ab. Er wußte, daß er als Debütant vorschnell gelobt worden war und erst sein zweites Volksstück über die Schriftstellerlaufbahn entscheiden konnte. Die Uraufführung, die im Herbst 1927 im Berliner Lessing-Theater unter der Regie von Reinhard Bruck stattfand, bestätigte Zuckmayers selbstsicheres Abwarten. Das Publikum akzeptierte ihn, die Kritik wies auf des Dramatikers, von ihm gern bestätigtes, Interesse an Karl May hin: «Manchmal hat Zuckmayer Erinnerungen an sein Indianerstück, wie einst im May. Nicht oft genug an Schiller, als welcher auch Nebengestalten umriß . . . Hübsche Lustspielzüge zwischendurch. Manchmal etwas rheinmainische Lieblichkeit . . . So schreitet ein Revolutionär, vom *Kreuzweg* über das fröhliche Weiße Rößl zum Heimatstück – das jedoch erwünschter ist als Heimatstücke sonst und bisher. Und kräftiger. – Zuckmayers Kraft liegt in bodenwüchsiger Frische. (Doch auch die Frische, lieber Sohn der Gegenwart, hat ihre Grenzen.) Zuckmayers pro: das Volkstum. Zuckmayers contra: das Volkstümliche.»[102]

Carl Zuckmayers Drama *Schinderhannes* kann in der Grundproblematik als Ergänzung zum *Fröhlichen Weinberg* betrachtet werden. Gunderlochs Lösung liegt in einem Zurückfinden zu seiner Identität, die sich harmonisch in seine Umgebung einfügt. Im *Schinderhannes* wird erörtert, was geschieht, wenn diese Harmonie nicht besteht. Der Schinderhannes erfährt, daß seine Identität, das kämpfende Kraftmenschentum, mit seiner Umwelt kollidiert. Er ist bereit, die Folgen zu tragen, mit seinem «Leben» gegen seine Hinrichtung zu protestieren, weil er um die unterdrückende Macht der Regierenden weiß. Doch noch eine andere Lösung des Schinderhannes-Konflikts ist angedeutet. Bückler denkt in seiner engen Gefängniszelle daran, daß im Beruf des Rheinschiffers seine Freiheitswünsche zu verwirklichen wären, ohne ständig in Kollision mit den Mächtigen zu geraten: Das ist eine individuelle Lösung des Konflikts, keine gesellschaftspolitische – die Zuckmayer am Ende des Dramas auch mehr und mehr aus den Augen verliert.

DAS VOLKSSTÜCK

Als ich im Jahre 1928 mein Volksstück «Katharina Knie» schrieb, berichtet Carl Zuckmayer, *dem ich den Untertitel «Ein Seiltänzerstück» gab, schöpfte ich wieder aus der Jugenderinnerung.*[103]

Carl Zuckmayer hatte mit den Dramen *Der fröhliche Weinberg* und *Schinderhannes* seine Domäne entdeckt: das Volksstück. Der Begriff ist mehrfach gefallen. Sein Deutungsbereich soll umrissen werden. Kaum ein anderer literarischer Gattungsbegriff ist so schillernd, doppeldeutig, geradezu vieldeutig. Unter Volksstücken werden zumeist die auf Kleinstadt- und Mundartbühnen gespielten Schwänke verstanden, die Brecht treffend charakterisierte: «Das Volksstück ist für gewöhnlich krudes und anspruchsloses Theater, und die gelehrte Ästhetik schweigt es tot oder behandelt es herablassend. Im letzteren Fall wünscht sie es nicht anders, als es ist, so wie gewisse Regimes sich ihr Volk wünschen: krud und anspruchslos. Da gibt es derbe Späße gemischt mit Rührseligkeiten, da ist hanebüchene Moral und billige Sexualität. Die Bösen werden bestraft, und die Guten geheiratet, die Fleißigen machen eine Erbschaft, die Faulen haben das Nachsehen. Die Technik des Volksstückschreibers ist ziemlich international und ändert sich beinahe nie.»[104]

Bertolt Brecht bezog seine Kritik auf ein Volksstückverständnis, das im deutschen Sprachraum weniger als zweihundert Jahre alt war und im Laufe der Zeit von Ideologie überfrachtet wurde. Die Anfänge des Volksstücks lagen im Zeitalter der bürgerlichen Revolution. Das Volksstück brach mit der Tradition, daß in der hohen Tragödie Fürsten als Personal auftreten mußten, in der niederen Komödie dagegen Handwerker, Kaufleute, Bauern. Volksstücke widmeten sich dem Vergnügen, aber auch der Belehrung der vormals achtlos Behandelten, die jetzt als individuelle Hauptfiguren gezeichnet wurden. Scharf trennte sich das Volksstück von der überlieferten Dramaturgie ab, schreibt Volker Klotz in seiner «Dramaturgie des Publikums», aber es paßte sich in seinen Konstruktionsverfahren und in der Gesamtanlage traditionellen Bühnenwerken an. «Zwar bezieht es wesentliche Elemente aus subliterarischen Zonen: Mundartsprache, Sprichwörter, Gassenhauer, Schnadahüpferl, Tänze, moritatenhafte Moraladressen. Doch es fügt sie dem unerschütterlich anerkannten Rahmen des überlieferten Dramas ein: lückenlos durchmotivierte Fabel, von gediegener Exposition über ein Konfliktgipfel bis zur fröhlichen oder katastrophalen Endbereinigung; scharf profiliertes Thema, das Handlung und Rede regiert, säuberliche Scheidung in individuelle Spieler und Gegenspieler, die eindeutig auf der Strecke bleiben; streitbare Dialoge und besinnliche Monologe; pünktlich aufs Stichwort erfolgende Auftritte und Abtritte.»[105]

Die einst neue und fortschrittliche dramatische Gattung des Volks-stücks zeigte Ende des 19. Jahrhunderts ihre Probleme. Die Volksstück-schreiber erwiesen nun den gesellschaftlich Unterprivilegierten als Ersatz für ihre soziale Notlage zwar weiterhin ästhetische Ehren. In einer überkommenen Dramaturgie blieben sie ernst zu nehmende dramatische Helden, aber sie erweckten mehr oder weniger ein passives Mitgefühl. Die Aufforderung zu einer kritischen Zuschauerhaltung wünschten je-doch Brecht, Horváth und Marieluise Fleisser vom Volksstück. Dem naturalistischen Drama, auf das sich Zuckmayer stützte, warf Brecht vor, ein sentimentales Mitfühlen mit den Hauptfiguren hervorzurufen, nicht aber Kritik. Realistische Volksstücke verlangte Brecht, die ihren Inhalt auf einen klassenspezifisch analysierten Volksbegriff bezogen. Diese eindeutig politische Wertsetzung akzeptierte Zuckmayer nicht. Für ihn wurde ein Theaterstück nicht dadurch zum Volksstück, daß es einen konkreten gesellschaftspolitischen Standpunkt einnahm. Volksstück hieß für ihn, im Sinne eines bürgerlichen Realismus, auf das Dasein und die Probleme breiter Schichten mit humoristischen und dramatischen Mitteln einzugehen und Menschen ohne Staatsaktionen und ohne exoti-sche Schaustellungen zu beschreiben. Denkerische und dramaturgische Schwierigkeiten umging Zuckmayer jeweils mit vital-aktionistischen Szenen. Die Struktur der deutschen Bühnen und ihres Publikums brachte es mit sich, daß der Autor Zuckmayer Theater über das Volk lieferte und nicht Theater für das Volk. Der Beifall, den seine Stücke in den zwanziger Jahren erhielten, zeigte eine allgemeine Hinwendung zu Problemen der Unterprivilegierten. Leicht konnte dieses Interesse bei «Zuck», wie ihn seine Freunde nannten, in Idyllik und oberflächliche Heiterkeit, Folklore und romantische Milieuschilderung münden.

Ein Beispiel dafür ist das 1928 in Berlin uraufgeführte Seiltänzer-Dra-ma *Katharina Knie*. Wieder griff der Dramatiker auf einen Stoff aus seiner heimatlichen Umwelt zurück, bezog sich auf seine Erinnerungen aus der Jugend und schrieb im Dialekt, allerdings nicht mehr im rhein-hessischen, sondern im rheinpfälzischen.

Gezeigt wird die von der Konkurrenz des Kinos bedrohte Zirkuswelt. Aktuelle Bezüge, das Inflationsjahr 1923, drängte der Autor aber bis zur Unkenntlichkeit zurück. So entsteht statt einer Verbindung von traditio-nellem Volksstück und Zeitstück ein sentimentales Genrebild. Atmo-sphärisches und die Darstellung des Zirkusmilieus bestimmen das breit angelegte Handlungsschema um die Abkehr der Katharina Knie von ihrem Vater und ihre Rückkehr in die Manegenwelt.

Carl Zuckmayer hatte sich nach seinem Drama *Schinderhannes* zu «bedenklicheren Versionen der Volksdramatik» gewandt, wie Marianne Kesting kritisch anmerkt. Er begann sich auf Werte und Darstellungsfor-

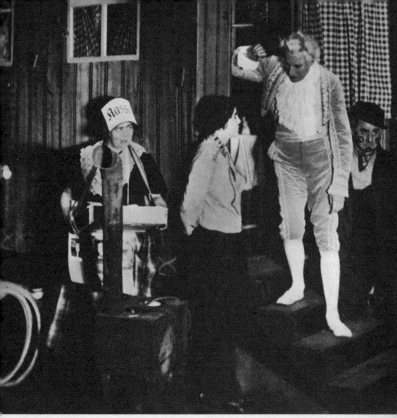

Albert Bassermann in der Uraufführung von «Katharina Knie». Berlin, 1928

men zu stützen, die wenig später «die totalitären Regierungen von links und rechts den gleichgeschalteten Massen ihrer Industriestaaten als das ‹Natürliche› und als das ‹gesunde Volksempfinden› anpriesen. Bei Zuckmayer traten alle Varianten muskelstarker Männlichkeit und inniger Frauenliebe auf, die ehrlichen Räuber, die handfesten Trinker, die liebestüchtigen Dichter und die melancholischen Zirkusakrobaten, an historischen wie gegenwärtigen Beispielen gleichermaßen wirkungsvoll demonstriert. In diesen Stücken, zu denen *Katharina Knie, Der Schelm von Bergen, Barbara Blomberg* und die sehr viel spätere *Ulla Windblad* zählen, erweist sich zwar Zuckmayer immer noch als der glänzende Szenentechniker; sie sind, wie Friedrich Torberg formulierte, ‹vom Saft des Lebens so voll durchtränkt, als hätte dieser Saft ihn [Zuckmayer] ganz direkt vom Lebensbaum durchrieselt›. Indes genügte die vitale Saftigkeit nicht ganz, die mangelnde denkerische Grundlage zu überspielen. Der Bruch, der sich in der mit Wandervogel-Idealen ausgerüsteten Volkstümlichkeit inzwischen deutlich abgezeichnet hatte, war Zuckmayer offensichtlich nicht bewußt geworden. Um so stärker trat er in den Stücken

Familie Zuckmayer

selbst zutage, die sich als Sammelbecken aller romantischen Klischees erwiesen, die über Volkstümlichkeit grassieren.»[106]

In der Tat mißlang Zuckmayers 1933 beendetes Schauspiel *Der Schelm von Bergen* ebenso wie das Seiltänzerstück *Katharina Knie*. *Der Schelm von Bergen* zeigt in einem altertümelnden Deutsch die Zeit des mittelalterlichen Kaisertums als Legende. Das Historische soll einen untergeordneten Rang gegenüber zeitlos menschlichen Fragen erhalten. Doch ehe das Drama *Der Schelm von Bergen* 1934 im Wiener Burgtheater aufgeführt wurde, ehe Zuckmayer in der Frühphase der Hitler-Ära sich nach Österreich zurückzog und ein Volksstück ganz in die ferne Vergangenheit verlegte, einen Liebeskonflikt in unpolitischen Bereichen ansiedelte, ehe Zuckmayer noch einmal seine unkritischen Romanzen aus dem Drama *Katharina Knie* wiederholte, feierte er seinen größten Theatertriumph mit dem *deutschen Märchen* in drei Akten: *Der Hauptmann von Köpenick*.

Zugleich mit der Theaterarbeit entwickelte Zuckmayer seine Möglichkeiten als Novellenautor. 1927 erschien seine Sammlung von Erzählungen unter dem Titel *Ein Bauer aus dem Taunus und andere Geschichten*. Die Titelnovelle schildert Erlebnisse eines Fronturlaubers im Ersten Weltkrieg. 1925 schrieb Zuckmayer die Erzählung vom Schorsch Philipp Seuffert, der 1918 zu Hause seinen Acker bestellen durfte. Plötzlich aber wird der Bauer von Erinnerungen an Rußland aufgeschreckt. Er hatte eine Bäuerin, die seiner Mutter ähnlich sah, und ein Kind zurückgelassen, das von ihm stammte. Er verabschiedet sich überhastet von seiner Frau, gerät in das Durcheinander der zurückflutenden Heere, schlägt sich bis in das russische Dorf durch. Es ist Revolution. Das Dorf brennt. Er findet die Bäuerin tot auf, geht in traumwandlerischer Sicherheit zu dem noch lebenden Kind und rettet es. Er übersteht gemeinsam mit dem Kind den russischen Winter, findet seinen Weg nach Hause zurück. Das Kind gehört nun zu seiner Familie und wird auch von seiner Frau angenommen.

Holzschnittartig beschrieb der Neunundzwanzigjährige eine Kriegssituation, durch die sich ein Mensch mit Hilfe seiner Gefühlssicherheit hindurchwindet. Von Anfang an ist sich der Bauer seiner Entscheidung sicher. Unerschütterlich geht er seinen Weg, verliert sich nicht an Zweifel, Schuldgefühle, Skrupel über vergangene Geschehnisse. Geschichte wird zur Heiligenlegende.

Trotz zwiespältiger Stimmen über das Drama *Katharina Knie*, trotz der Zweifel an Zuckmayers Volksstückkonzept galt der Dramatiker und Erzähler 1929 als eines der großen literarischen Talente. Er erhielt den Darmstädter Georg-Büchner-Preis und gemeinsam mit René Schickele und Max Mell den «Dramatikerpreis der Heidelberger Festspiele». Auch

Marlene Dietrich in dem Film «Der blaue Engel». Drehbuch: Carl Zuckmayer

mit Filmproduzenten arbeitete er zusammen. Sein dramatischer Erstling *Der fröhliche Weinberg* wurde für das Kino eingerichtet. Er schrieb in diesen produktiven Jahren ferner das Drehbuch zu dem Josef von Sternberg-Film *Der blaue Engel*. Heinrich Manns Roman «Professor Unrat» war die Vorlage. Zuvor hatte er das amerikanische Kriegsdrama «What Price Glory» von Maxwell Anderson und Laurence Stallings frei bearbeitet, eine derbere Sprache eingesetzt, im Gegensatz zu den Autoren die Feindschaft zwischen Front und Etappe hervorgehoben, die Figur des

1930

Juden Lipinsky mit seinen «Amor Fati»-Gedanken ausgestattet. Insgesamt benutzte Zuckmayer den Stoff, um seine eigenen Kriegserfahrungen auszudrücken. Unter dem Titel *Rivalen* erschien das Stück 1929 auf den deutschsprachigen Bühnen. Bearbeitet hat Zuckmayer auch Hemingways Roman «A Farewell to Arms» (1930), gemeinsam mit dem Regisseur Heinz Hilpert, und das indische Schauspiel «Vasantasena» (1934).

Die unbekümmerte Art, Stoffe anderer Autoren zu bearbeiten, hat Zuckmayer auch bei von ihm hochgeschätzten Autoren behalten. So erschien 1952 eine Buchausgabe des «Herbert Engelmann», die sowohl den Originaltext von Hauptmann aus dem Jahre 1924 als auch die Bearbeitung Zuckmayers enthielt. Dieser aus dem Nachlaß Hauptmanns herausgegebene Text zeigt im Original eine Hauptfigur, die aus Schuldbewußtsein Selbstmord begeht. Herbert Engelmann unterliegt seinem «Schicksal». In der Fassung Zuckmayers kommt Engelmann zum Einverständnis mit seinem Leben. Sein Entschluß zum Selbstmord ist die Sühne für sein Verbrechen. Er erlangt dadurch wieder die Achtung vor Leben und Tod. Wie der Schinderhannes wird Zuckmayers Herbert Engelmann in seinem Kind weiterleben, ein Gedankengang, der in der Urfassung nur ansatzweise vorhanden ist.

Ende der zwanziger Jahre entstand Zuckmayers Spiel für Kinder *Kakadu-Kakada*, das 1930 in Berlin uraufgeführt wurde. Themen der eigenen Kindheit griff Zuckmayer in einer Kasperle-und-Wurstl-Komödie auf, die er nach dem Stoff des Till Eulenspiegel gestaltete: *Aber der Stoff wollte sich mir nicht ergeben*, notierte Carl Zuckmayer. *Das Kinderstück wurde wochenlang von Berliner Schulklassen bejubelt, das amerikanische Kriegsstück kam unter dem Titel «Rivalen» heraus und verführte die Bühnen-Rivalen Kortner und Albers zu einem theaterhistorisch gewordenen Faustkampf hinter der Szene, der «Blaue Engel», dessen Szenario und Dialoge meine Allein-Arbeit waren, während Friedrich Holländer seine heute noch unvergessenen Chansons dafür schrieb, zeigte Jannings auf seiner schauspielerischen Höhe und machte Marlene Dietrich, durch Josef von Sternbergs Regie, zum Weltstar: das alles waren Handwerksarbeiten, Fingerübungen, Etüden. Aber der «Eulenspiegel», den ich als meinen dramatischen Hauptplan betrachtete, kam nicht vom Fleck. Er scheiterte, mußte scheitern, an der Diskrepanz zwischen dem Vorwurf des alten Volksbuches, an das ich mich zu halten versuchte, und der Zeitnähe, dem Gegenwartsgehalt, der lebendigen Wirklichkeit, die ich erstrebte. Ich war schon im Begriff, den ganzen Entwurf wegzuschmeißen und mich an eine Tragikomödie des Vormärz, «Das Hambacher Fest», zu machen, da wurde mir, mitten im Sommer, die Anregung zu einem Stoff zuteil, an den ich vorher nicht gedacht*

1930: Propagandazug der Nationalsozialisten in Berlin

hatte: der «Hauptmann von Köpenick». Sie kam von Fritz Kortner, meinem alten Freunde, der sich meine Bewunderung und Zuneigung durch nichts verscherzen kann ... Vom «Hauptmann von Köpenick» wußte ich nicht mehr als jeder – die Anekdote von seinem Geniestreich im Köpenicker Rathaus, und daß er dann, nach kurzer Gefängnishaft vom Kaiser begnadigt, durch die deutschen Städte reiste und signierte Postkarten mit seinem Bild in Uniform verkaufte: so hatte ich ihn selbst bei einer Mainzer Fastnacht im Jahr 1910 gesehen.[107]

Carl Zuckmayer erkannte, daß der Schuster Voigt, der Hauptmann von Köpenick, sein Eulenspiegel war: ein Eulenspiegel der Gegenwart, der als armer Schlucker durch eine Notlage hellwach wurde und nun einem Volk und einer ganzen Epoche den erkenntniserhellenden Spiegel vor Augen hielt. Im Jahre 1930, als Zuckmayer anfing, seinen neuen Eulenspiegel-Stoff zu bearbeiten, waren die Nationalsozialisten gerade die zweitstärkste Partei im Reichstag geworden und versetzten das Land

Der Schwarze Freitag an der New Yorker Börse, 28. Oktober 1929

in einen *Uniform-Taumel . . . ein Eulenspiegel-Bild des Unfugs und der Gefahren, die in Deutschland heranwuchsen – aber auch der Hoffnung, sie wie der umgetriebene Schuster durch Mutterwitz und menschliche Einsicht zu überwinden*[108]. Diese Hoffnung teilte Zuckmayer mit einem großen Teil des unaufgeklärten Bürgertums, das nicht sehen wollte, wie sehr die Schwerindustrie und die ostelbische Großlandwirtschaft es verstanden hatten, eine zwar nicht wie im Kaiserreich beherrschende Stellung einzunehmen, aber doch sich eine weit über ihren ökonomischen Bereich hinausgehende Position zu verschaffen. Die Rüstungsbeschränkung des Friedensschlusses gab der Schwerindustrie im Hinblick auf eine Wiederaufrüstung Anspruch auf Schutz. Die Landwirtschaft forderte Unterstützung auf Grund ihrer Grenzlandposition. Beide Gruppen waren die stärksten Gegner der Republik und zugleich ihre Nutznießer. Theodor Eschenburg notiert in seiner Studie «Die improvisierte Demokratie» (München 1963), daß die Reichswehr aus Rüstungsüberlegungen und aus traditionellen Beziehungen des Offizierskorps zur östlichen

Landwirtschaft diese Gruppen schützte. Schwerindustrie, Großlandwirtschaft und Militär hatten ihre Vormachtstellung aus der Monarchie in der Demokratie behalten. Im Herbst 1929, mit dem Börsenkrach in New York, wurde die Schwäche dieser Demokratie deutlich. Die sozialen Spannungen nahmen zu. Das Land war von Krediten des Auslands und vom Export abhängig. Die Zahl der Arbeitslosen wuchs auf zwei Millionen. Während der mit Notverordnungen operierenden Regierungszeit des konservativen Katholiken Heinrich Brüning schwoll die Arbeitslosenzahl im Winter 1931 auf sechs bis sieben Millionen an. In dieser Zeit des Übergangs vom liberaldemokratischen Staat zur faschistischen Diktatur schrieb Carl Zuckmayer sein Schauspiel über einen modernen Eulenspiegel nieder, ein Schauspiel, dessen Hauptfigur die Uniform ist. In dem Dokumentenband «Faschismus – von Mussolini bis Hitler» zeigt der Historiker Ernst Nolte 1968 zumeist Fotos von Uniformierten. Paradierende, Waffenträger, Führergestalten und Untertanen. Ähnliche Bilder gibt es auch über das kaiserliche Deutschland. Sie besagen wenig über das feudal-kapitalistische System der Monarchie, ebensowenig lassen

Arbeitslose in Berlin, 1931

sich die tatsächlichen Gesichter des Faschismus in der deutschen Uniformleidenschaft erkennen. Die Beziehungen zwischen bürgerlicher Gesellschaft und faschistischem Staat – das ist in dem Uniformträger allenfalls als Leerformel sichtbar. Aber Zuckmayer wollte in seinem *deutschen Märchen* auch gar nicht politische und ökonomische Sachverhalte analysieren. Ihn interessierte, wie mit *Mutterwitz* die Autoritäten bloßzustellen waren, und es war ihm klar, daß er den Stoff nur bewältigen könnte, *nicht die Geißel schwingend, sondern das Menschenbild beschwörend . . . Von der ursprünglichen Eulenspiegel-Idee blieb der Märchengedanke. Eine Geschichte, auch im Komödienton, märchenhaft zu erzählen, schien mir der Weg, sie über den Anlaß hinaus mit überzeitlichem Wahrsinn zu erfüllen.*[109]

«Selten ist eine Gesellschaft genauer und vielschichtiger abgebildet worden als im Zeitstück der zwanziger Jahre», schreibt der Theaterkritiker Günther Rühle 1976. «Die Reihe der Zeitstücke spiegelt den gesellschaftlichen Prozeß.» [110]

Das Zeitstück will die Gegenwart so deutlich wie möglich darstellen. Gerhart Hauptmann galt in den zwanziger Jahren als Vorläufer des Zeitstücks mit seinem Drama «Vor Sonnenaufgang» über den Säufer-Kollaps unter reich gewordenen Bauern. Dieses Schauspiel aus dem Jahre 1890, dann Hauptmanns sozialkritisches Drama «Die Weber» über einen Arbeiteraufstand hatten folgenreiche Wirkungen. Auch das historische Stück wurde in den zwanziger Jahren bewußt als Drama der aktuellen Auseinandersetzungen geschrieben. Das Zeittheater zeigte die gesellschaftlichen Kämpfe der Republik. Die politischen Mächte sollten ihrer Anonymität entrissen werden. Die Theaterregie suchte nach Ausdrucksmöglichkeiten für das neue Wirklichkeitsverlangen. Erwin Piscator verwendete in seinen Inszenierungen Lichtbilder als Wirklichkeitszitate. Er erweiterte die technische Theatermaschinerie und postulierte, für ihn sei die Bühne nicht allein ein Spiegel der Zeit, sondern auch Platz der Veränderung. In den Versuchen, die verwickelten Zusammenhänge der Wirklichkeit darstellbar und einsehbar zu machen, gab es bei Piscator und Brecht Parallelen. Beide wollten die Praktiken des kapitalistischen Wirtschaftssystems und die Abhängigkeitsverhältnisse des einzelnen, eine als unwürdig und inhuman erkannte Abhängigkeit, formulieren, das heißt diese Erkenntnisse als Voraussetzung für gesellschaftliche Veränderungen in Szene setzen. Das epische Theater breitet diese Erkenntnisse aus und zeigt den Menschen in seiner Abhängigkeit, aber auch in seinen Möglichkeiten, auf sie zu reagieren. Brechts und Piscators identische Interessen verbanden sich in der Inszenierung des «Schwejk». Die Hauptfigur hob die Zwänge und Abhängigkeiten dadurch für sich auf, daß es sie unterlief. Mit dieser Vorführung in der Kunst des Überlebens huldigten Brecht und Piscator dem damals hochgefeierten Charlie Chaplin, der die Verwicklungen des kleinen Mannes zum Thema seines Spiels gemacht hatte.

Dem Ruf nach Wirklichkeit, dem fast propagandistischen Streben des Theaters nach einem gesellschaftspolitischen Sinn suchte auch Zuckmayer zu folgen – nur wollte er das Zeitstück mit dem traditionellen Volksstück verbinden. Zuckmayer konnte mit diesem Konzept leicht den sozialpolitischen Kontext in vitalen und sentimentalen Ausbrüchen seiner Hauptfiguren bis zur Unkenntlichkeit verwischen. Andererseits hat dieses Pendeln zwischen Zeitstück und Volksstück auch zum Überleben vieler seiner Dramen beigetragen, zur Zeitlosigkeit von Zuckmayers Zeitstücken. Mit seinem melancholisch-verschmitzten Schuster Voigt, der direkt an «Schwejk» und Charlie Chaplin anschließt, hat Zuckmayer die Verbindung von Zeit- und Volksstück zu einem Höhepunkt entwickkelt. Die Hochstapelei des falschen Hauptmanns, die «Köpenickiade» aus der Kaiserzeit, war Zuckmayers Zeitgenossen noch frisch im Gedächtnis. Für Zuckmayer selbst war der vorbestrafte Zuchthäusler eine Variante seines Eulenspiegel-Themas. Mit dem mittelalterlichen Schelm hatte der Schuster gemeinsam, daß er die Waffe des Schwächeren gebrauchte, nämlich List, Täuschung, Verstellung, um sich an den Mächtigen schadlos zu halten. Zuckmayers Tragikomödie geht auf eine Zeitungsnotiz aus dem Jahre 1906 zurück, die lautete: «Ein als Hauptmann verkleideter Mensch führte gestern eine von dem Schießplatz Tegel kommende Abteilung Soldaten nach dem Köpenicker Rathaus, ließ den Bürgermeister verhaften, beraubte die Gemeindekasse und fuhr in einer Droschke davon.» [111] Eine liberale Berliner Zeitung hatte den Vorgang als einen Sieg der Offiziersuniform beschrieben, die die Legitimation für jeden Willkürakt abgeben konnte. Wilhelm Voigt, ein im Grunde genommen biederer Mann, der die Staatsgewalt respektierte, war das Opfer einer kleinlichen, in Ordnungsbegriffen erstarrten Bürokratie geworden und hatte sich die Macht der Monarchie durch eine Uniform angeeignet. Damit demaskierte er die konstitutionelle Monarchie, den Obrigkeitsstaat und die Militärkaste, demaskierte sie bis zur Lächerlichkeit. *Ein deutsches Märchen in drei Akten* nannte Zuckmayer im Untertitel seine Köpenickiade, die er nach gerichtsnotorischen Vorgängen als Handlungsvorwurf nahm. Die Bezeichnung *Märchen* ist zum Teil ironisch zu verstehen, sie bezeichnet das Geschichtsverständnis des unpolitischen Deutschen und seine Wirklichkeit. In einem weiteren Sinne ist aber das Märchenschema, wie bereits ausgeführt, ein Grundmoment der Zuckmayerschen Volksstücke. Die deutliche Trennung in Gut und Böse, die vorübergehende Störung einer umfassenden Ordnung, der Umgang mit wunderbaren Mächten, die bei Zuckmayer Leben, Liebe, Natur und Gott heißen, deren Aufgabe und Ziele keine Hauptfigur in Frage stellt, diese Momente passen in den Spielregelkanon des Bühnenmärchens. Doch ein Orientierungsmuster des Märchens gibt es bei Zuckmayer nicht: daß die Geschehnisse als Gegenwelt einer bestimmten sozialen, historischen, geographischen oder psychologischen Wirklichkeit erscheinen. Was in dem deutschen Märchen *Der Hauptmann von Köpenick* vorkommt, entfernt sich nicht vom Leben der Gegenwart, es trägt in großen Teilen dessen Züge, nämlich deutsche Autoritätsgläubigkeit.

Ingeborg Engelsing-Malek versucht in einer Interpretation, das Stück ganz und gar in der Märchenperspektive anzusiedeln, wobei sie, wie Hans

Szene aus Jaroslav Hašeks «Die Abenteuer des braven Soldaten Schwejk». Max Pallenberg in der Titelrolle

Mayer, die Spannung zwischen Märchen und sozialpolitischer Realität vergißt. Ingeborg Engelsing-Malek schreibt: «Schon das Hauptthema, der Gehorsam der realen Welt gegenüber der Kraft, der auf Gott vertrauenden Seele, entspricht den von den Brüdern Grimm gesammelten Märchen. Hier wie dort gibt es keinen echten Gegenspieler oder wahren menschlichen Konflikt. Der Held kämpft allein gegen das Böse, im *Hauptmann von Köpenick* gegen die anonyme und unbegreifliche Macht

93

Charlie Chaplin dem Film «Goldrausch», 1925

der Behörde. Aber wie im Märchen bahnt sich schließlich das Gute seine
Bahn. Doch braucht der Held die Hilfe einer höheren Macht, um die von
Menschen gemachten Verordnungen zu überwinden, die ihn zu ver-
schlingen drohen. Wilhelm Voigt gleicht dem jüngsten und oft dümm-
sten Bruder im Märchen, dem es gelingt, den Zauber zu lösen. Die

Uniform ist Symbol der Menschenordnung, die nur dann erfolgreich bekämpft werden kann, wenn man sich ihrer Zauberkraft bedient. Sie entspricht etwa der Tarnkappe des bösen Zwerges. Der Paß ist das Zeichen der Freiheit und Menschlichkeit, das erzwungen werden soll, und hat hier dieselbe Funktion wie die Hand der Königstochter und das halbe Königreich. Voigts Zuchthauskumpan Kalle verkörpert die Versuchung des Bösen. Er steht nicht unter der göttlichen Ordnung und hat keinen Sinn für den Paß, das Symbol der Freiheit. Voigts Schwager Hoprecht ist der Kleingläubige, der Gott vor lauter Menschenordnung nicht sehen kann. So müssen Voigts Versuche, sich erst mit Kalles, dann mit Hoprechts Hilfe eine neue Existenz aufzubauen, scheitern. Erst als er sein Schicksal bewußt unter Gottes Führung stellt, kann er die Welt seinem Willen unterordnen. Wie im Märchen wird der Held allerlei Prüfungen unterzogen, die er schließlich besteht. Die Ironie des Stückes – und darin unterscheidet es sich vom Volksmärchen – besteht darin, daß es keine wahre Lösung hat, sondern nur in einem kurzen Augenblick des gegenseitigen Verständnisses endet.» [112]

In ihrer Schlußbemerkung gibt Ingeborg Engelsing-Malek zu, daß sich die Eindeutigkeit ihrer Interpretation des Dramas als Märchen nicht ganz halten läßt. Sie führt das jedoch nicht auf die gesellschaftspolitische Wirklichkeit zurück, die eine Ebene des Stückes bildet. Sie ist zu sehr von dem Blickwinkel ihrer Dissertation besessen, daß «Amor Fati», die Schicksalsbejahung, als inneres Gesetz der Zuckmayer-Hauptfiguren die Gedankenwelt der Dramen abdeckt.

Zusammen mit den Schauspielen *Schinderhannes* und *Des Teufels General* gab Zuckmayer 1947 den *Hauptmann von Köpenick* unter dem Sammeltitel *Die deutschen Dramen* heraus. Die Spannung zwischen Märchen und sozialpolitischer Realität ist das Zentrum der Satire *Der Hauptmann von Köpenick*. Zuckmayer läßt die 1896 und 1906 in Berlin und Umgebung ablaufenden Erlebnisse des Schusters Voigt in 21 Szenen spielen. 73 Figuren treten in seiner Reportage auf, die zu einem großen Bilderbogen arrangiert ist. Detaillierte Milieuschilderungen und der Berliner Dialekt bestimmen die Atmosphäre des Stücks. Den Autor interessierte weniger die historisch genaue Darstellung der überlieferten Vorgänge. Vielmehr wollte er die Motive deuten, die den Schuster einige Male Postanweisungen fälschen ließen und ihn ins Zuchthaus brachten, dann in die Einsamkeit des Entlassenen führten. Auf der Suche nach Arbeit gerät Voigt in die Fänge der Bürokratie. Keine Gemeinde, nicht einmal sein eigener Heimatort, will ihn aufnehmen. Ohne Aufenthaltsgenehmigung erhält er keine Arbeit, ohne Arbeitsnachweis aber keine Aufenthaltsgenehmigung. Voigt bricht in ein Polizeibüro ein, um sich einen Paß zu verschaffen. Ein weiteres Mal landet er im Zuchthaus. Nach

Schuster Wilhelm Voigt in Hauptmannsuniform

der nächsten Entlassung hat Voigt dazugelernt. Da ihm wiederum weder eine Aufenthaltsgenehmigung noch ein Paß zugestanden wird, macht er sich die Magie der Uniform und das im Zuchthaus Plötzensee erworbene militärische Wissen zunutze.

Die Heimatlosigkeit des kleinen Mannes in der Staatsmaschinerie übernahm Carl Zuckmayer als Grundthema aus der historisch überlieferten Geschichte des Schusters Voigt. Komödiantisch berichtet das Drama *Der Hauptmann von Köpenick* von einem Menschen, der von der Gesellschaft zu einem preußischen Satyrspiel gezwungen wird, um zu überleben. In den Labyrinthen der Bürokratie verwickelt er sich: Paragraphen, die der Ordnung dienen sollen, machen es dem entlassenen Häftling unmöglich, daß er wieder in die gesellschaftliche Ordnung zurückfindet. *Nee, nee ick reg mir jarnich uff*, sagt der Schuster zu einem Oberwachtmeister, *aber't muß ja nu'n Platz geben, wo der Mensch hingehört! Wenn ick keene Meldung kriege und nich hier bleiben darf, denn will'ck wenigstens 'n Paß haben, det ick raus kann! Ich kann ja nu mit de Füße nich in den Luft baumeln, det kann ja nur'n Erhenkter!*[113] Gegen Voigts Berliner Dialekt setzt Zuckmayer das Beamtenhochdeutsch. Die gesellschaftliche Machtverteilung wird durch das Sprachverhalten deutlich. Die untere Klasse spricht in der Mundart, die staatliche Autorität in einem Verwaltungsdeutsch. Auf Voigts Wunsch nach einem Paß, der ihm die Ausreise aus Deutschland erlauben würde – eine Aufenthaltsgenehmigung erwartet er ohnehin nicht mehr –, antwortet der Beamte: *Sie haben immer noch unklare Vorstellungen über die Zuständigkeitsgrenzen. Für Ihre Paßangelegenheiten kommen wir hier nicht in Frage, merken Sie sich das, is gänzlich ausgeschlossen. Ihr Gesuch um Aufenthaltserlaubnis geb ich weiter, aber befürworten kann ich's nicht, dafür ist Ihr Vorleben zu fragwürdig. Wir haben genug unsichere Elemente in der Stadt. Schluß jetzt.*[114] Auch bei der Arbeitssuche ergeht es dem Schuster nicht anders. In einer Schuhfabrik verlangt der Prokurist Knell von dem ehemaligen Häftling die Papiere. Auf Voigts Einwand, daß er von der Polizei keinen Ausweis oder Paß erhalte, solange er keine Arbeit nachweisen könne, entgegnet Knell: *Ohne ordentliche Papiere kann ich Sie nich einstellen. Wo käm man denn da hin. Hier herrscht Ordnung! Jeder Mann muß seinen Stammrollenauszug in Ordnung haben; wennse gedient hätten, wär Ihnen das in Fleisch und Blut übergegangen.* Voigt meint, daß er ja nicht in eine Kaserne wolle, sondern in eine Fabrik. Knell wird wütend: *Ich weiß genau, warum ich gediente Leute bevorzuge! Heutzutage, bei der Wühlarbeit der Sozialdemokraten – da muß man doch wissen, wen man im Haus hat! Wie soll man sich denn sonst auf seine Leute verlassen können!*[115]

Die Hochsprache ist die Sprache der Herrschenden: der Beamten, der Militärs und des Bürgermeisters, der seinem Uniformschneider verkündet: *Das Große ist bei uns die Idee des Volksheeres, in dem jeder Mann den Platz einnimmt, der ihm in der sozialen Struktur der Volksgemeinschaft zukommt. Freie Bahn dem Tüchtigen! Das ist die deutsche Devise! Die Idee der individuellen Freiheit verschmilzt bei uns mit der konstitutionellen Idee zu einem entwicklungsfähigen Ganzen. Das System ist monarchisch – aber wir leben angewandte Demokratie! Das ist meine Überzeugung![116]*

Ein Sozialdarwinismus wird mit dem Nationalismus verknüpft. Der Bürgermeister versteht dies als angewandte Demokratie. Arbeiter, die Unterprivilegierten, müssen durch militärischen Druck in das Weltbild der Fabrikanten und höheren Beamten gepreßt werden. Und so erhält auch der Schuster Voigt, nach seinem Paßdiebstahl, im Zuchthaus Plötzensee wieder eine soldatische Ausbildung. Der Gefängnisdirektor doziert: *Vor allem hat die segensreiche Einrichtung der allgemeinen Wehrpflicht unsrem Volk in seinem stehenden Heer eine lebendige Kraft geschaffen, die auch in Friedenszeiten unsre sittliche Festigkeit und unsre körperliche und geistige Gesundheit gewährleistet. Vielen von euch war es leider durch frühe Schicksalsschläge versagt, diesem Heer anzugehören und, Schulter an Schulter mit fröhlichen Kameraden, im Wehrverband zu stehen. Was euch dadurch an hohen Werten verlorengegangen ist, habe ich immer nach besten Kräften mich bemüht, euch hier an der Stätte neuer Erziehung und neuer Wegweisung, soweit es angängig ist, zu ersetzen. Manch einer, der vor Antritt des Strafvollzugs noch keinen Unteroffizier von einem General unterscheiden konnte, verläßt die Anstalt als ein zwar ungedienter, aber mit dem Wesen und der Disziplin unserer deutschen Armee hinlänglich vertrauter Mann. Und das wird ihn befähigen, auch im zivilen Leben, so schwer es anfangs sein mag, wieder seinen Mann zu stellen.[117]*

Die militärische Ausbildung im Gefängnis ermöglicht es, die preußische Obrigkeit mit ihren eigenen Waffen zu schlagen. Parallel zu dem Leidensweg des Schusters zeigt Zuckmayer die Geschicke einer ausrangierten Hauptmannsuniform, ein dramaturgischer Einfall, der in der Überschneidung der beiden Handlungslinien, in Voigts Kauf der Uniform, den Mittelpunkt des Schauspiels bildet. Die Offiziersmontur wanderte vor Voigts Einkauf vom besten Uniformschneider Potsdams zum Gardeoffizier Hauptmann von Schlettow. Der mußte sie ablegen, weil er ohne Uniform Händel in einem für Militärs verbotenen Lokal suchte. Diese Szene, der Voigt beiwohnt, deutet bereits am Anfang der Komödie die Macht der Uniform an. Schlettows zwangsweise abgelegte Kleidung wird vom Bürgermeister von Köpenick übernommen, der sie dringend

für eine militärische Übung benötigt. Er soll zum Reserveoffizier beför-
dert werden. Dann landet die Uniform bei einem Trödler im Berliner
Osten. Unter dem Vorwand, sie für einen Maskenball zu benötigen, kauft
Wilhelm Voigt das Kleidungsstück.

In dem ersten Teil der Uniformkomödie ist Zuckmayer eines der
großen Bühnenwerke parodistisch-gesellschaftskritischer Literatur ge-
lungen. Es ist ein Bild des bürgerlichen, militärischen, kaiserlichen
Deutschland. Vertreter aller Stände jener Zeit kommen zu Wort. Trotz
der Typisierungen erhalten die Personen der Satire individuelle Züge. Sie
äußern sich zwar in dem charakteristischen Sprechton ihrer Gruppen,
dem Kasinojargon der Offiziere, dem Jiddisch der Händler und dem
Berlinerisch der Unterprivilegierten, sie haben aber alle eine deutlich
erkennbare persönliche Geschichte. Im Kontrast zu dem verschmitzten
Voigt, der nicht als Hochstapler oder Krimineller dasteht, werden diese
Personen in ihren Urteilen und Vorurteilen, in ihrer Beschränktheit und
Inhumanität deutlich gemacht. Das komödiantische Element, die Satire
entwickelt sich aus dieser Gegenüberstellung.

Im zweiten Teil des Stückes, beginnend mit der zwölften Szene, rücken
komische und tragische Handlungselemente einander näher. Die Mit-
leidsdramaturgie des Naturalismus gewinnt in der Gestalt des sterbenden
Mädchens, dem Voigt ein Märchen vorliest, für Augenblicke die Ober-
hand. *Komm mit, sagte der Hahn*, berichtet der Schuster nach dem
Märchen von den Bremer Stadtmusikanten, *etwas Besseres als den Tod
werden wir überall finden.*[118]

Voigt, der in einer Debatte mit Schwager Hoprecht seine ausweglose
Situation eingesteht, da in Preußen die *Menschenordnung* und das Recht
über allem steht, fällt aus der listigen Weltfröhlichkeit in die melancholi-
sche Innenschau: *De innere Stimme. Da hatse jesprochen, du, und da is
alles totenstill jeworden in de Welt, und da hab ick's vernommen:
Mensch, hatse jesagt – einmal kneift jeder 'n Arsch zu, du auch, hatse
jesagt. Und denn, denn stehste vor Gott dem Vater, stehste, der allens
jeweckt hat, vor dem stehste denn, und der fragt dir ins Jesichte: Willem
Voigt, wat haste jemacht mit dein Leben? Und da muß ick sagen –
Fußmatte, muß ick sagen. Die hab ick jeflochten im Jefängnis, und denn
sind se alle druff rumjetrampelt, muß ick sagen. Und zum Schluß haste
jeröchelt und jewürcht, um det bißchen Luft, und denn war's aus. Det
sagste vor Gott, Mensch. Aber der sagt zu dir: Jeh wech! sagt er!
Ausweisung! sagt er! Dafür hab ick dir det Leben nich jeschenkt, sagt er!
Det biste mir schuldig! Wo is et? Wat haste mit jemacht? (Ganz ruhig)
Und denn, Friedrich – und denn is et wieder nischt mit de Aufenthaltserlaubnis.*[119]

Voigt überwindet die Verzweiflung durch die Entscheidung, sich in der

*Heinz Rühmann als Strafgefangener
in dem Film «Der Hauptmann von Köpenick»*

Gestalt eines Offiziers doch noch den notwendigen Paß zu besorgen. Die Hauptmannsuniform, vom Trödler erstanden, zieht er in der Toilette des Schlesischen Bahnhofs an und genießt sogleich den Respekt der Bahnhofsbeamten. Er unterstellt sich ein Wachkommando, besetzt das Rathaus von Köpenick und verhaftet den Bürgermeister. Da er sich im Untertanenbewußtsein der Preußen auskennt, nutzt er seine neue Stellung geschickt aus, geht militärisch-strategisch vor. Sein eigentliches Ziel verfehlt er allerdings. Im Rathaus von Köpenick gibt es keine Paßabteilung. Nur die Gemeindekasse kann er beschlagnahmen. Enttäuscht läßt er die Soldaten in ihre Kaserne zurückkehren, meldet sich einige Tage später in der Paßabteilung des Berliner Polizeipräsidiums und verspricht, die Köpenickiade aufzudecken, wenn er dafür einen Paß bekäme. Auf die Frage der Polizeioffiziere, wie er als Ungedienter den listigen Streich durchgeführt habe, antwortet der Schuster, daß es nicht schwierig sei, denn *sone Uniform, die macht det meiste janz von alleene. Und in Zuchthaus Sonnenburg, da ham wa in den Freizeiten immer de Felddienstordnung zu lesen jekriegt, und det Exerzierreglement. Da hatt ick mir immer sehr für interessiert.*[120]

Der falsche Hauptmann (Heinz Rühmann) bei seinem großen Auftritt

Am 5. März 1931 wurde das Schauspiel in drei Akten uraufgeführt. Heinz Hilpert führte am Berliner Deutschen Theater Regie. Werner Krauß spielte die Titelrolle. Kritik und Publikum verstanden das *deutsche Märchen* nicht allein als ein Kapitel der Zeit Wilhelms II., sondern auch als Auseinandersetzung mit Tendenzen der Weimarer Republik, wie Zuckmayer schreibt: *Das Stück wurde, von Freund und Feind, als das Politikum begriffen, als das es gemeint war. Und bis jetzt waren die Freunde, wenigstens unter dem Teil der Bevölkerung, der überhaupt ins Theater geht oder liest, noch in der Überzahl. Gerade daß hier auch die «Gegenseite», das Militär vor allem, nicht blindlings verdammt und verteufelt, sondern mit dem Versuch zu dramatischer Gerechtigkeit dargestellt wurde, machte das Stück und sein Anliegen glaubwürdiger und ließ nicht das Mißtrauen und den üblen Nachgeschmack aufkommen, den betonte, einseitige Tendenz oder «Propaganda» immer verursacht. Es gab keine Theaterskandale, doch wütende Beschimpfungen von seiten der Nazipresse, vor allem in dem jetzt von Goebbels redigierten Berliner «Angriff», der mir, mit Hinblick auf eine Szene im Zuchthaus, verkündete, ich werde bald Gelegenheit haben, ein preußisches Zuchthaus von innen kennenzulernen. Auch wurde mir schon damals – für die kommende Machtergreifung – mit Ausbürgerung, Landesverweisung oder schlichtweg mit dem Henker gedroht ... Wenn man das Lachen und die Zustimmung des Publikums hörte (zu dem Hauptmann von Köpenick), konnte man fast vergessen, was draußen auf der Straße vorging und was sich im Reich zusammenbraute. Dort gab es nichts mehr zu lachen ... Aller Zorn, aller Haß, alle Empörung richtete sich gegen diesen «Staat», von rechts als «Judenrepublik», von links als «Kapitalistenhofstaat» angeprangert. Die «Notverordnungen», mit denen die Regierung versuchte, den Extremismus auf beiden Seiten zu beschwichtigen, erreichten das Gegenteil. Kommunisten und Nazis bekämpften sich untereinander bis aufs Messer: es gab kaum eine Nacht, in der es nicht zu blutigen Gefechten und Schießereien kam. Am verhängnisvollsten wirkte sich die Verelendung des «unteren Mittelstandes» aus. Trotz der Hochkonjunktur, die nach der Inflation eingesetzt und eine Zeitlang so etwas wie einen allgemeinen Wohlstand vorgetäuscht hatte, war es nie zu einer Aufwertung der in der Billionenzeit weggeschmolzenen Renten, Versicherungen, Sparanlagen gekommen. Die «kleinen Leute», denen es in der Kaiserzeit verhältnismäßig gut gegangen war, hatten an dem «Aufschwung» keinen Teil gehabt und waren verbittert gegen alles, was «oben» saß, gegen die «Bonzen» der herrschenden Parteien, welche die Demokratie repräsentierten, ebenso gegen die immer noch in Wohlstand und Luxus lebenden Finanzkreise ...* [121]

Werner Krauß in der Uraufführung von
«Der Hauptmann von Köpenick», 5. März 1931

Die Kämpfe zwischen rechten und linken Staatsgegnern, ferner die Unzufriedenheit des Mittelstands sah Zuckmayer als die Ursache der nationalsozialistischen Machtergreifung an. Für ihn lag und liegt das Politische im «Menschlichen», wie er in einem Gespräch zu seinem 80. Geburtstag äußerte; er fügte hinzu, daß er sich mit der Natur mindestens so intensiv wie mit den Menschen beschäftigen würde. Nicht Macht, Interessengruppierung, Aushandeln von Kompromissen, Beteiligung an öffentlichen Fragen hieß für seine Dramenfiguren Politik, sondern in erster Linie die subjektive Tugend des «Amor Fati»-Gehorsams. So führen Schinderhannes und auch der Schuster Voigt ihren Kampf letztlich allein. Ein einzelner kämpft gegen die ihn bedrängende Umwelt. Carl Zuckmayer selbst, der sich in den frühen zwanziger Jahren sozialistischen Gruppen angeschlossen hatte, dann der Sozialdemokratie nahestand, erklärte im Alter seine politische Grundhaltung als Liberalismus: *Als ich aber dann anfing, mich wirklich mit den politischen Verhältnissen in meinem eigenen Land zu beschäftigen . . . wurde ich – was ich auch heute noch bin – ein Liberaler.*[122] Dieser Liberalismus, den Zuckmayer vertrat, setzt eine offene Gesellschaft voraus. Gleichwertigkeit individueller Meinungen gilt als Prämisse. Selbstbestimmung des Menschen ist das Ziel und der Verzicht auf eine von staatlicher Seite zwangsweise angeordnete Einheitlichkeit der Gesellschaft. Dieser Liberalismus sollte nach Zuckmayers Vorstellung auch die *Sozialität* einschließen.

Die humane, immer auch idealistische Haltung des Dramatikers Zuckmayer, der keinen Haß säen wollte, mit seinem *Hauptmann von Köpenick* nicht die Entblößung bestimmter deutscher Charakterzüge beabsichtigte, allein ihre Spiegelung – diese Haltung führte dazu, daß er die Nationalsozialisten anfangs unterschätzte, über sie lachte, ihr schlechtes Deutsch parodierte. Ende 1932 sprach er zum 70. Geburtstag Gerhart Hauptmanns vom wahren *Deutschland des Geistes, des Rechtes, der Freiheit*[123]. Statt auf die politische Lage einzugehen, unterstellte er sich der Zucht des Jasagens zu Deutschland – eine Zucht, die Zuckmayers überraschende Wirkung in der Nachkriegszeit erklärt, die aber auch Gegensätze verwischte. «Er deckte Verdrängungen»[124] der Deutschen zu, sagt der Kritiker Heinrich von Nußbaum. Das erklärt sich allerdings aus seinem Verständnis von Heimat, einem Grundthema seiner Arbeiten. Heimat ist die Landschaft, dann auch die deutsche Sprache, es sind die Freunde, es ist vor allem aber die Erinnerung, der Glaube Zuckmayers an eine harmonische Weltordnung.

Ob er in der Zeit vor Hitlers Machtergreifung genug getan habe, um die Brutalität der Faschisten zu bekämpfen? Resignierend gesteht Zuckmayer ein, daß er es nicht getan habe, ebenso wie viele seiner Freunde. Er wurde zwar noch Mitglied der «Eisernen Front», dem Zusammenschluß der Gewerkschaftsjugend und des demokratischen «Reichsbanners Schwarz-Rot-Gold», hielt aber höchstens einmal eine Rede gegen Goebbels und seine Gefolgsleute, als sie den Remarque-Film «Im Westen nichts Neues» angriffen. Im Alter rechnete sich Zuckmayer sein Versagen vor: *Wir, die wir berufen gewesen wären, dem rechtzeitig entgegenzuwirken, haben zu lange gezögert, uns mit dem profanen Odium der Tagespolitik zu belasten, wir lebten zu sehr in der «splendid isolation» des Geistes und der Künste: und so tragen wir, auch wenn wir dann zu*

Opfern der Gewalt oder zu Heimatvertriebenen wurden, genauso wie alle Deutschen an jener Kollektiv-Scham, die Theodor Heuss dem sinnlosen Anathema einer «Kollektiv-Schuld» entgegengesetzt hat.[125]

Zuckmayer zog sich nach der Machtergreifung durch die Nationalsozialisten in sein Haus nach Henndorf bei Salzburg zurück. Obwohl auch in Österreich faschistische Ideen sich breitmachten, konnte der Dramatiker von 1933 bis 1938 in seiner ländlichen Zuflucht ruhig arbeiten. Die Schriften aus jenen Jahren zeigen, daß Zuckmayer sich den politischen Tagesfragen entzog. Man kann sogar von einer Flucht in die Natur sprechen. Bereits 1926 hatte er in dem Gedichtband *Der Baum* volksliedhafte Verse veröffentlicht, eine naturhafte, archaisierte Welt des Elementaren beschrieben, sich über Tiere und Pflanzen, Gott und Glaube, über Essen, Trinken und Musik geäußert. Nur in weiter Ferne schimmert gelegentlich eine Kriegserinnerung durch. Zivilisation und Gegenwart verschwinden in der unbekümmerten Reimfreudigkeit des lebenpreisenden Autors:

> Ich will es öfter sagen,
> Damit ihr's alle wißt,
> Die ihr mich könntet fragen,
> Wie schön das Leben ist.
>
> Die Leute welche meinen,
> Die Welt sei schlecht gemacht,
> Sind nicht mit sich im reinen
> Und gar noch nicht erwacht.
>
> Im Guten wie im Schlechten
> Hört eines Freundes Rat:
> Nicht mit dem Schöpfer rechten,
> Der wußte, was er tat!
>
> Gehst du am End' zugrunde,
> So trag's mit starken Mut:
> Die eine Schöpferstunde
> Macht alle Tode gut!

Diese lyrische Sprachhaltung setzte Zuckmayer während der dreißiger Jahre in seinen Prosaarbeiten und in seinen Dramen fort. Gereimte Verse finden sich in den Liebesszenen des Schauspiels *Der Schelm von Bergen*, das er in Henndorf vollendete. Er benutzte Volkslegenden vom Niederrhein und Gesänge der Troubadours, er fand für das Drama ein altertü-

Der morgendliche Spaziergang zum Waller See bei Henndorf

melndes Deutsch und lyrische Verse. Das Drama mißglückte ebenso wie das 1938 in Zürich uraufgeführte Schauspiel *Bellman*. Es gelang dem in der österreichischen Landeinsamkeit lebenden Dramatiker nicht, die Lyrik – in diesem Fall die des Schweden Carl Mikael Bellman – in sein Drama einzubinden. Liebe und Heimatlosigkeit des sauf- und sanglustigen schwedischen Dichters sind das Thema der Handlung, die zur Zeit der Französischen Revolution spielt. Die Szenen des Stücks erfaßte Zuckmayer in einer Neuausgabe des Dramas (1953) sprachlich genauer, etwa im groben Umgangston der Geliebten des Dichters, Ulla Winblad, auch in der Ausdrucksweise der Musikanten, der Hofangehörigen, der anarchischen Hauptfigur Bellman. Unter dem Titel *Ulla Winblad oder Musik und Leben des Carl Michael Bellman* publizierte Zuckmayer dieses Schauspiel erneut. Bellman ist eine Gestalt, in der Zuckmayer schon während der Studentenzeit eine Identität sah. Er trug Lieder und Szenen aus dem Leben des Dichters vor und sang zur Laute.

In Österreich entstanden zwischen 1934 und 1938 eine ganze Reihe von Erzählungen: *Ein Sommer in Österreich, Herr über Leben und Tod* und der Roman *Salwàre oder Die Magdalena von Bozen*. Die Novelle *Der Seelenbräu*, mit der Zuckmayer eine Huldigung an Österreich darbrachte, schrieb er 1945 in den USA. Allen diesen Erzählungen und Romanen ist gemeinsam, daß sie ausführlich Landschaften schildern, in vorzivilisatorische Welten versetzt sind, oft in Rührseligkeit schwelgen. In dem Roman *Salwàre* beschrieb Zuckmayer eine ganz auf sich bezogene Schloßgesellschaft, die sich Künstler und Literaten einlädt. Die Hauptgestalten sind romantisierend überzeichnet, das tragisch getönte Pathos bis in dämonische Spannungseffekte gesteigert. Realistisch beobachtet sind allein einige Nebenfiguren. Diese Art von Realismus verwandelt sich jedoch leicht in idyllische Ländlichkeit, in Heimweh nach dem *verlorenen Paradies*, wie etwa in der Erzählung *Der Seelenbräu*. Die humoristische Dorf-Schilderung zeigt ein optimistisches Weltbild: ungeachtet aller Konflikte und Spannungen besteht eine Harmonie von Welt, Mensch und Natur. In der dörflichen Szenerie sah Zuckmayer ein Gegenbild zu den Kriegskatastrophen, die ihn bei der Niederschrift der Novelle umgaben. Hat er sich eine Lebenslüge herbeigeschrieben? Für Zuckmayer war diese Art der Harmonisierung von Welt und Menschen die Möglichkeit zum Überleben. Gleichzeitig wurde durch diese Haltung aber der Kulturbruch des deutschsprachigen Schriftstellers manifestiert, der in den zwanziger Jahren zeitkritische Haltung und Volkston miteinander zu verbinden wußte. Ein Beispiel für diese ins «Zeitlose» verdrängte Schreibhaltung Zuckmayers ist auch das Bühnenwerk *Bellman*, das mehr balladesk als dramatisch, mehr erzählend breit angelegt wurde, erweitert durch Zitate, Montagen und Originallieder des «Villon des schwedischen

Rokoko». Die acht Szenen des Geschehens sind eingefaßt von Liedern und Musik. Das Leben, die Liebe und die Frauen werden besungen. Seine Welt nennt Bellman ein Reich der Lebensliebe: *Das ist ein Reich, in dem die Sonne schwarz ist und die Finsternis leuchtet, in dem das Wasser brennt, das Feuer kühlt, der Wein die Sinne klärt und das Brot sie berauscht. Es hat nur ein Gesetz, und das heißt: Lebe! – und nur eine Strafe, das ist der Tod. Seine Priester lehren, daß unsere Welt die beste sei, die wir kennen, und würden wir sie kennen, so wär sie es auch, sagt dort der Philosoph, und wäre sie's nicht, so laßt sie uns dazu machen, sagt dort der König.*[127]

Dieser Bellman, das geheime Ideal Zuckmayers, ist ein anarchischer Sänger, ein dionysischer Freund des Lebens, für den Kunst Verschwendung und Überfluß bedeutet. Er fürchtet die *Verschwörung der Vernunft*, ebenso wie sein egoistischer, maßloser König, und er glaubt, daß vernunftgemäßes Handeln die Menschen zu Sklaven mache. Verbrecher und Komödiant zugleich sei der Mensch, heißt die Maxime. Die Liebe gilt

Marion Wünsche als Ulla Winblad. Uraufführung in Zürich, 1953

Karl Paryla als Carl Michael Bellman bei der Uraufführung im
Schauspielhaus Zürich, Winter 1938/39

als ein Geschenk. Die totale gesellschaftliche Außenseiterstellung Bellmans bewundert Zuckmayer. Es wird ein Künstlerbild sichtbar, das sich in der europäischen Literatur bis ins 18. Jahrhundert zurückverfolgen läßt. In jener Zeit lernten es die europäischen Schriftsteller, zwischen zwei Lagern und Klassen zu balancieren. Vom adligen Publikum wurden sie zwar finanziert, aber sie lieferten dem aufstrebenden Bürgertum die zur Revolution notwendige Aufklärung. Der politische Triumph des Bürgertums, das die Schriftsteller, speziell in Frankreich, unterstützt hatten, stellte jedoch die Situation der Literatur auf den Kopf. Jetzt, vom Bürgertum umschlossen, galt das literarische Werk nicht länger als ein begnadetes Geschenk, sondern als ein bezahlter Dienst. Idealismus, Psychologie und Utilitarismus sollte der bürgerliche Schriftsteller seinem

Publikum bieten. Ein Großteil der Literaten verweigerte sich diesen Forderungen. Die Kluft zwischen bürgerlicher Ideologie und der Literatur wurde im 19. Jahrhundert immer größer. Die Literatur entdeckte ihre Selbstherrlichkeit. Der Schriftsteller rühmte sich, jede Verbindung mit seinem Publikum abgebrochen zu haben. In Deutschland kam hinzu, daß die revolutionäre Bewegung ausblieb und sich eine politische und gesellschaftliche Restauration breitmachte. Der Schriftsteller, seiner politischen Gegenwart mehr und mehr entfremdet, fand sich verhältnismäßig leicht in die Rolle des Kunst-Sachwalters. Die Idee von der sozialen und geistigen Unabhängigkeit des Künstlers wurde insbesondere in der deutschen Romantik entwickelt. Keinerlei Vorschrift und Zwang sollte der Dichter unterworfen sein, sondern nur seinem eigenen Ingenium folgen. Er galt als Künder seiner Wahrheit. Er suchte Zuflucht in der Selbstherrlichkeit, als Außenseiter in einer auf Nützlichkeit und Gelderwerb eingestellten Gesellschaft. Verbunden ist damit ein Aufruhr gegen die Zivilisation und ein Verlangen nach anarchischer Freiheit, die als Freiheit des Individuums proklamiert wird.

Carl Zuckmayers Hauptfiguren haben einen Abglanz dieser traditionellen Künstlergestalten: nämlich wenn sie nur ihrer Selbstbestimmung gehorchen, wenn die Weltordnung bzw. natürliche Ordnung in ihren Emotionen begründet bleibt. Und sie sind in dieser Haltung Zuckmayers Ego – wie Bellman, auch Schinderhannes, wie der ränkeschmiedende Ratcliff in dem Drama *Barbara Blomberg*, der seinen Spionageauftrag und die eigene Sicherheit vergißt, weil er liebt. Dieser barocke Bilderbogen um die schöne Patriziertochter Barbara Blomberg, die von Kaiser Karl V. einen unehelichen Sohn hat, schildert die Liebe der ehemaligen Geliebten des Kaisers mit dem englischen Abenteurer Ratcliff. Barbara muß die Aussichtslosigkeit ihrer Beziehung zu dem Engländer anerkennen und willigt ein, nach Spanien ins Exil zu gehen, damit ihr Geliebter die Freiheit erhält. 1949 wurde dieses effektvolle Stück mit seinen komödiantischen Rüpelszenen uraufgeführt. Doch die Dialoge bleiben blaß, die wiederholten Diskussionen über Probleme wie Politik und Krieg, Liebe und Ehe, Tradition und Fortschritt, Religion und Toleranz gehen nicht unmittelbar aus der Handlung hervor.

Schinderhannes, Bellman, Ratcliff, ja sogar Harras, der dem Fliegen verfallene General, gehören in die Reihe der anarchischen Künstlergestalten, die Zuckmayer erfand. *Des Teufels General*, der General Harras, glaubt den Apparat der Diktatur Hitlers dazu benutzen zu können, um seine Leidenschaft zur Fliegerei zu befriedigen. Er gerät in den Zwiespalt zwischen Berufserfüllung und Menschlichkeit, als er erkennt, daß er sich nicht auf seine selbstherrliche Lebenslust berufen kann. Er sieht ein, daß er gesellschaftliche und mitmenschliche Verantwortung trägt, durch den

*«Barbara Blomberg». Paula Wessely in der Titelrolle.
Theater in der Josephstadt, Wien*

brutalen Krieg aber, an dem er teilhat, zum Werkzeug der nationalsozialistischen Machthaber wurde. Die dramatische Spannung des Schauspiels entsteht aus dem Konflikt zwischen Harras' Person und seiner militärischen Stellung. Die Konfliktlösung erwächst aus der allmählichen Einsicht Harras' in seine subjektiven Interessen, in seine trotzigen Wunschvorstellungen.

Das Drama *Des Teufels General* schrieb Zuckmayer im amerikanischen Exil. Die erste Phase seines Exils begann in Österreich. Seine Stücke wurden nicht mehr von den deutschen Theatern gespielt. Die «Berliner Illustrirte Zeitung» druckte zwar noch bis zum 19. März 1933 die Erzählung *Eine Liebesgeschichte* in Fortsetzungen ab, aber das totale Totschweigen jeder kritischen Stimme in Deutschland setzte nun ein. Zuckmayer hielt sich im Gegensatz zu vielen anderen Schriftstellern, die ins Exil mußten, aus dem antifaschistischen Kampf heraus. Er führte ein zurückgezogenes Leben in Henndorf. Mehrmals schrieb er Filmdrehbücher für Alexander Korda in London. Am berühmtesten wurde sein Szenario und Drehbuch für den Film *Rembrandt*, der 1936 in England mit Charles Laughton in der Titelrolle fertiggestellt wurde. Drehbücher hat Zuckmayer seit 1930 immer wieder verfaßt. *Der blaue Engel* war der erste große Drehbucherfolg. Aber vorher schon, 1925, hatte er gemeinsam mit Kurt Bernhardt den Text für *Qualen der Nacht* verfaßt.

Die Zusammenarbeit mit der Londoner Filmgesellschaft führte zu mehreren nicht fertiggestellten Filmen. So schrieb Zuckmayer 1936/37 eine erste Szenariofassung für den Film *I Claudius the God* und verfaßte gemeinsam mit Josef von Sternberg das Dialogdrehbuch. Wegen eines Unfalls der Hauptdarstellerin mußte die Arbeit abgebrochen werden. Auch *Strollers Fate*, 1935 für eine englische Produktion geschrieben, ein Text über den Schauspieler Edmund Kean, wurde abgebrochen, der Stoff aber von der Ufa erworben. Hans Albers sollte den Kean spielen. Wegen des Publikationsverbots für Zuckmayer in Deutschland wurde der Film dann nicht gedreht. Die Zusammenarbeit mit dem englischen Produzenten Korda führte zu weiteren Filmideen, die nicht ausgeführt wurden, die aber Zuckmayer Anregungen für Novellen gaben, etwa *Sommer in Österreich* und *Herr über Leben und Tod*. Die Tätigkeit beim Film verstand Zuckmayer nur als Übungen für seine Theaterarbeit, als Gelderwerbsquelle – nicht jedoch als unmittelbare Erfahrung von neuen schriftstellerischen Erkenntnissen. Die Filmwelt ging nicht in seine Novellen oder Dramen ein, die filmische Technik hat er nicht wie etwa John Dos Passos als Vorbild für literarische Ausdrucksformen benutzt.

Zu Zuckmayers Drehbüchern gehört auch der Filmtext von *Escape me Never* (1935), *De Mayerling à Sarajevo* (1940), ein Ophüls-Film. Deutsche Fassungen stellte er für *Entscheidung vor Morgengrauen* (1950), *Die Jungfrau auf dem Dach* (1952) und *Der Mann mit dem goldenen Arm* (1955) her. Eine intensive Beschäftigung mit dem Film läßt sich in Zuckmayers Leben nachweisen. Doch als er in den USA die Möglichkeit hatte, sein Leben als Lohnschreiber der Hollywooder Filmfa-

Charles Laughton in dem Rembrandt-Film. Drehbuch: Carl Zuckmayer

briken zu fristen, zog er das unsichere Leben eines Farmers in Vermont, Virginia, vor. Er, seine Frau und zwei Kinder, sie alle waren gleich nach dem Österreich-Einmarsch der Nationalsozialisten in die Schweiz geflüchtet. Dann entkamen sie in die USA. Dort fühlten sie sich fremd in dem geschäftigen und von Geschäften bestimmten Kinoparadies Hollywood. Für kurze Zeit mühte sich Zuckmayer als Dozent an der Theaterschule der Exil-Universität New School for Social Researchs ab. Erwin Piscator hatte ihn geholt. Das brachte aber nur ein Taschengeld ein. Der Versuch, mit Kortner zusammen eine moderne Bearbeitung von Anzengrubers «Viertem Gebot» unter dem Titel «Somewhere in France» zu publizieren, wurde schnell eingestellt.[128] Zuckmayers Theaterauffassung

Die «Backwoods-Farm» bei Barnard in Vermont, die Zuckmayer von 1940 bis 1946 pachtete («Die Farm in den grünen Bergen»)

war für den amerikanischen Geschmack «zu deutsch». Er kam mit der Mentalität und Lebensweise des Landes nicht zurecht, er versöhnte sich erst mit dem Exil, als er «Die Farm in den grünen Bergen» übernahm. Unter diesem Titel schilderte seine Frau Alice Herdan 1949 Erfahrungen, Erlebnisse und Begegnungen in Vermont, Virginia, sprach von der Stille des Farmerdaseins, vom harten Klima, den schweren Arbeitsbedingungen. Hier entdeckte Zuckmayer seine Jugendträume vom Abenteuer in der Fremde wieder, von Wildnis, Tieren, Wäldern und Selbstbehauptung. Seine Begeisterung für Karl May spricht aus diesem Amerika-Bild, seine Phantasiewelt des Indianer- und Cowboy-Lebens. Hatte er nicht aus Karl May-Begeisterung seine Tochter Winnetou genannt? War er nicht noch im Alter stolz darauf, daß Ernst Bloch und er sich über die entlegensten Gestalten Karl Mays verständigen konnten? Und hatte er nicht 1924/25 einen Indianer-Roman, der unvollendet blieb, mit dem Titel *Sitting Bull* geschrieben – eine Geschichte von Menschen, die wie kräftige, liebevolle Tiere in der Natur leben und aus ihrer Unschuld durch die Begegnung mit geldgierigen Weißen gerissen werden? Ja, Zuckmayer verstand die USA als ein Land der naturverbundenen Indianer, als Szenerie der Freibeuter, Pioniere. Er begriff sie auch als Herausforderung für den Exilierten. Er, der Heimat suchte und fand, war nicht bereit zu resignieren und verlangte von sich, zu überleben. Als er von Stefan Zweigs Selbstmord in Brasilien hörte, als die Verzweiflung vieler Exilierter ihn durch Briefe erreichte, schrieb er einen *Aufruf zum Leben*. Es war das einzige Flugblatt, das er in diesem Krieg veröffentlichte. *Vergiß nicht, wie Brot schmeckt*, sagte er in seinem Aufruf gegen die Selbstmordgedanken. *Vergiß nicht, wie Wein mundet – in den Stunden, in denen Du hungrig und durstig bist. Vergiß nicht die Macht Deiner Träume. Gebt nicht auf, Kameraden!* [129] Noch einmal, im März 1944, meldete sich Zuckmayer im Exil offiziell zu Wort. Er hielt in New York in Anwesenheit von FBI-Leuten eine Rede auf Carlo Mierendorff, der im Dezember 1943 bei einem Bombenangriff auf Leipzig ums Leben gekommen war. Sein *Porträt eines deutschen Sozialisten* mündete in seinem *Bekenntnis zum deutschen Volk* [130]. Am Beispiel Mierendorffs, einem gegen das Nazi-Deutschland kämpfenden Sozialdemokraten, erklärte er: *Wenn ein Carlo Mierendorff in Deutschland gelebt hat, sein Leben lang für das deutsche Volk gearbeitet hat und ihm in Not und Leiden treu geblieben ist – dann ist dieses Volk nicht verloren, dann ist es wert zu leben – dann wird es leben! . . . Deutschland, Carlos und unser Vaterland, ist durch eine Tragödie gegangen, die so tief und so schaurig ist wie der Tod. Deutschlands Schicksal erinnert an jenes dunkle Christuswort von dem Ärgernis, das in die Welt kommen muß – aber wehe dem, der es in die Welt gebracht hat. Deutschland ist schuldig geworden vor der Welt. Wir aber, die wir es nicht verhindern konnten, gehören in diesem großen Weltprozeß nicht unter seine Richter. Zu seinen Anwälten wird man uns nicht zulassen. So ist denn unser Platz auf der Zeugenbank, auf der wir Seite an Seite mit unseren Toten sitzen – und bei aller Unversöhnlichkeit gegen seine Peiniger und Henker werden wir Wort und Stimme immer für das deutsche Volk erheben.* [131]

Die Aufgabe des Zeugen wollte Zuckmayer übernehmen. Sein Drama *Des Teufels General* ist aus dieser Absicht zu verstehen. Zuckmayer, der in den USA als Farmer hart und ganztägig arbeiten mußte, jahrelang nicht mehr an literarischen Werken schrieb, wählte als Hauptfigur seines Stückes einen General aus Hitlers Luftwaffe. Angeregt hatte ihn eine Meldung, die im Dezember 1941 durch die deutsche Presse ging. Der Generalluftzeugmeister der deutschen Luftwaffe, Ernst Udet, war beim Erproben eines neuen Maschinentyps tödlich verunglückt. Ein Staatsbegräbnis wurde angeordnet. Zuckmayer kannte den Freund aus dem Ersten Weltkrieg und wußte, daß er ein Gegner der Hitler-Diktatur war. Dennoch hatte der passionierte Flieger dem Regime seine Dienste angeboten. Er wollte von seinem Beruf nicht lassen. Udets Absturz verwandelte sich für Zuckmayer in die Tragödie eines politisch verstrickten Mannes.

Das Haus am Fluß Woodstock, Vermont

Carl Zuckmayer erfand und fand mit General Harras und seinen sympathisch gezeichneten Nebenfiguren das Selbstverständnis vieler Deutscher, die den Krieg überstanden hatten. Wagemut und Abenteuerlust stehen im Zentrum der Handlung. Kritische Köpfe des Widerstands warfen Zuckmayer nach der Uraufführung des Stückes in Zürich 1946 und den deutschen Erstaufführungen 1947 vor, er habe die Gestalt des Harras idealisiert. Diese Kritik setzt sich bis heute fort: «Die Fragwürdigkeit des Stücks», heißt es in «Kindlers Literatur Lexikon», «beruht nicht allein auf der politischen Ahnungslosigkeit und moralischen Skrupellosigkeit, mit der sich der überaus sympathisch gezeichnete Held einem Regime verschreibt, dessen Unmenschlichkeit durch die Verteufelung nur oberflächlich erfaßt wird, sondern vor allem auf Zuckmayers dramatischer Konzeption: Um auch in einem Stück über das Dritte Reich die potente Kraftnatur seines stereotypen Dramenhelden, dessen Schnoddrigkeit seine eigentliche Herzenswärme kaschieren soll, recht in Szene zu setzen, reduziert er das politische Hintergrundsgeschehen zur bloßen Staffage, die jeder zeitkritischen Signifikanz enträt.»[132] Bei Walther Killy heißt es dagegen, daß Zuckmayers Theater den Charakter des Vorzeigens habe, dem Zuschauer keine Urteile abnehme. Es zähle, daß sich eine ganze Generation in dieser Haupt- und Staatsaktion wiedererkannte. Damit wurde sie noch nicht freigesprochen. «Daß in der Vergegenwärtigung auch die Verstrickungen der Gegenwart erhalten blieben», meint Killy, «ist so lange natürlich, ja menschlich, als man vom dramatischen Dichter nicht die Funktion des Jüngsten Gerichtes erwartet. Es gehörte ein höheres Maß von Gerechtigkeit dazu, dieses Stück als Emigrant im kalten Winter 1942/43 auf der Farm in Vermont zu konzipieren, als es in einer warmen Redaktionsstube der sechziger Jahre wie eine Apologie des Nazismus zu lesen.»[133]

Tochter Winnetou

Das Stück erzeugt auch Jahrzehnte nach dem Kriegsende immer noch polemische Auseinandersetzungen. Es fordert zum Urteil über die deutsche Vergangenheit heraus, auch zum Urteil über die Rolle des politischen Theaters. Ist das aristotelische Theaterprinzip, das Identifizieren mit den Hauptfiguren, eine Möglichkeit, um die Mechanismen des Faschismus zu entdecken? Sicherlich nicht – das Stück gibt auch gar nicht vor, dieses zu leisten. Harras, der feststellt, er sei weder Denker noch Prophet, er sei ein Zeitgenosse, ist ein Abenteurer, der sich selbst treu zu bleiben sucht. Ihm gegenüber stehen, wie in allen Dramen Zuckmayers, Menschen, die der Zweckmäßigkeit dienen, in diesem Fall: dem Regime und seiner Ideologie. Der Kulturleiter Dr. Schmidt-Lausitz ist ein solcher Grund-Typus. Der differenziert dargestellte, seine Skrupel und Zweifel kaschierende General Harras ficht mit Wortspielereien, Frivolitäten und Spott um seine Identität. Aber diese Identität hat er bereits durch seine Entscheidung zum Mitmachen an der Nazi-Herrschaft verspielt. Er täuscht sich vor, daß er diese Entscheidung nie getroffen habe. Die Sprache, der närrische Männlichkeitston, ist das Blendwerk, mit dem er sich und seine Umwelt verwirrt. Aus Sentimentalität, um seiner Mutter den Spaß an seinen Orden und Heldentaten nicht zu verderben und aus Lust am Fliegen, verschrieb er sich dem «Teufel» Hitler, trat aber nicht in die Partei ein. Narrenfreiheit genießt er wegen seiner militärischen Erfolge, muß aber plötzlich den Absturz einer Reihe von Kampfmaschinen aufklären. Er stellt fest, daß sein bester Freund, der Chefingenieur Oderbruch, ein Saboteur ist. Oderbruchs Glaube an eine menschliche Zukunft überzeugt Harras. Er deckt die Widerstandsbewegung um Oder-

Szenenbild aus «Des Teufels General» (Gustav Knuth als General Harras, Robert Bichler als Leutnant Hartmann). Uraufführung: Dezember 1946 im Züricher Schauspielhaus

Uraufführung:

DES TEUFELS GENERAL

Schauspiel in drei Akten von Carl Zuckmayer

Regie: Heinz Hilpert   Bühnenbild: Caspar Neher

Harras, General der Flieger		Gustav Knuth
Lüttjohann, sein Adjutant		Armin Schweizer
Korrianke, sein Chauffeur		Heinrich Gretler
Friedrich Eilers, Oberst und Führer einer Kampfstaffel		Robert Freitag
Hartmann		Robert Bichler
Writzky	Fliegeroffiziere	Walter Gnilka
Hastenteuffel		Fred Tanner
Pfundtmayer		Georg Mark-Czimeg
Sigbert von Mohrungen, Präsident des Beschaffungsamtes für Rohmetalle		Erwin Kalser
Baron Pflungk, Attaché im Außenministerium		Siegfried Schürenberg
Dr. Schmidt-Lausitz, Kulturleiter		Wilfried Seyferth
Der Maler Schlick		Herman Wlach
Oderbruch, Ingenieur im Luftfahrtministerium		Hans Holt
Anne Eilers		Irene Naef
Waltraut v. Mohrungen, genannt Pützchen, ihre Schwester		Anne-Marie Blanc
Olivia Geiss, Diva		Traute Carlsen
Diddo Geiss, ihre Nichte		Elisabeth Müller
Lyra Schoeppke, genannt die Tankstelle		Maria Vanoni
Otto, Restaurateur		Sigfrit Steiner
François	Kellner	Hans Mehringer
Herr Detlev		Erwin Parker
Buddy Lawrence, ein amerikanischer Journalist		Lutz Altschul
Arbeiter		Karl Delmont
Ein Polizeikommissar		Friedrich Braun

Ort: Berlin
Zeit: Spätjahr 1941, kurz vor dem Eintritt Amerikas in den Krieg
Erster Akt: Höllenmaschine
Zweiter Akt: Galgenfrist oder Die Hand
Dritter Akt: Verdammnis
**Die Handlung ist erfunden und, wie ihre Träger, nur zum Teil durch tatsächliche
Ereignisse und lebende — oder tote — Personen angeregt**
Technische Leitung: Ferdinand Lange

Pause nach dem 1. Akt

bruch. Zur Mitarbeit an Oderbruchs Organisation ist Harras jedoch nicht
bereit. Sein Schuldbekenntnis führt zum Selbstmord. Er besteigt eine
defekte Maschine und stürzt ab.

Ist die Sabotage Oderbruchs, die Menschenleben kostet, sinnlos? Geht
von Harras und den Luftwaffenoffizieren ein verführerischer Glanz aus?
Die heftigen Diskussionen aus dem Jahre 1947 um diese Fragen demonstrierten eines: Zuckmayer hatte von der Bühne her eine der ersten
öffentlichen Diskussionen um die jüngste Vergangenheit Deutschlands
entfacht, und zwar über die Möglichkeiten des aktiven Widerstands und
der passiven Duldung. Vor allem bei jüngeren Deutschen weckte der

Dramatiker, der sich selbst den Gesprächen in vielen Städten stellte, ein Bewußtsein von offenen und freien Reden. Er konnte sie ansprechen, weil er ihre Welt geschildert hatte. Sie erkannten sich in den hilfreichen «Kameraden», erkannten die durch das Regime korrumpierten profitgierigen Großbürger und die fanatischen Vertreter des Gewaltsystems, die Amtsleiter und Gestapo-Beamten. Zuckmayer traf den Wortschatz und die Sprechweise der Militärs genau. Seine Erfahrung aus dem Ersten Weltkrieg ließ ihn die richtigen Folgerungen ziehen. Die Milieuschilderungen stimmen. Allerdings nicht die Zuckmayer eigene, zwischen Wirklichkeitserfahrung und Märchen angesiedelte Gut-Böse-Zeichnung. Schließlich hat nicht der Teufel den Weltkrieg verloren und hat nicht das Prinzip der ausgleichenden Gerechtigkeit gesiegt, sondern das alliierte Heer mit seiner militärischen Planung und materiellen Macht.

Carl Zuckmayer hat es sich mit den Schlußfolgerungen in seinem Schauspiel schwergemacht. Immer wieder erarbeitete er Neufassungen. 1948 schrieb er, daß er sich mit Oderbruchs destruktivem Widerstand niemals werde abfinden können, obwohl er diesen für zwangsläufig und notwendig halte. Ebensowenig wollte er General Harras durch die Darstellung entschuldigen: *Wenn man ein Drama schreibt, das Lebensdeutung versucht, so sind seine Gestalten keine Prinzipienträger, sondern Menschen, die leiden und handeln, ihren Weg suchen oder ihn verfehlen.*[134]

Carl Zuckmayer war sich darüber klar, daß das *Drama in drei Akten* zu Mißdeutungen, bewußten Fehlinterpretationen benutzt werden konnte. Zehn Jahre nach der enthusiastisch gefeierten Londoner Aufführung des Schauspiels mit Trevor Howard als General Harras zog der Autor das Stück von den deutschen Bühnen zurück. Er erklärte, daß es nach langer Aufführungspause in der Bundesrepublik nicht gezeigt werden solle, da es *auf Grund der verschiedenen innenpolitischen Vorfälle und Auseinandersetzungen des letzten Jahres Anlaß zu Mißdeutungen geben könnte. Es wäre allzuleicht, im positiven oder negativen Sinne, das Stück heute als «Entschuldigung» eines gewissen Mitmachertyps mißzuverstehen. Sein Inhalt ist jedoch die tragische Situation, und schließlich die tragische Entscheidung, von unbescholtenen Menschen, die gezwungen sind oder sich, wie Harras, aus Leichtsinn dazu hergegeben haben, einer ihnen verhaßten Gewaltherrschaft zu dienen.*[135]

Aus der Sperre des Stücks für die Bühnen der Bundesrepublik im Jahre 1963 läßt sich erkennen, daß Zuckmayers Rückkehr nach Deutschland nicht ohne Zwiespältigkeiten verlief. Er gehörte zu den ganz wenigen vom Naziregime Vertriebenen, die begeistert empfangen wurden und deren literarische Werke in das allgemeine Bewußtsein schnell aufgenommen wurden. Nur einigen Literaten gelang dies. Trotz der Sympa-

Saas-Fee und das Allalinhorn

thie, die ihm entgegengebracht wurde, sagte der Fünfzigjährige, daß er zurückgekehrt sei, aber nicht heimgekehrt. Er, der für einige Jahre Amerikaner war, nahm zum Schluß die Schweizer Staatsbürgerschaft an. Er hielt sich in Distanz, obwohl gerade er es war, der als beispielhaft galt für die Wiederversöhnung der Deutschen. «Seine verständnisvolle Nachsicht mit den Generalen und sonstigen Gefolgsleuten des ‹Teufels› half der gestrandeten Nation ein neues Selbstbewußtsein begründen», schreibt Heinrich von Nußbaum. «Thomas Mann blieb da lange Jahre lang weit reservierter. ‹Zucks› warmherziger menschlicher Umgang entsühnte, bevor der Aufbau sich auf die Aufarbeitung der Vergangenheit eingelassen hatte. Er ermutigte, entkrampfte und schlug Brücken, als die offizielle Politik Aussöhnung noch allenfalls als Selbstbeweihräuche-

Zuckmayers Haus in Saas-Fee

rung, als ‹Literatur› betrieb. Zuck erwies sich damals umgekehrt als ein Literat, der Ernst macht mit dem, was er schreibt, der tatkräftig zupackte, wo Not am Mann war . . . Heute ahnen wir, daß er mit dieser überschäumenden Spontaneität auch neue Gräben schuf: wer persönlich nicht so glimpflich davongekommen war, wer seine Eltern und Verwandten nicht wohlbehalten wiederfand wie er, wer allen Grund hatte zu hassen – Zuckmayers Beispiel stempelte ihn vergleichsweise zum unverbesserlichen, unversöhnlichen Vaterlandsverräter . . .»[136]

Carl Zuckmayer: ist er ein Abbild des deutschen Dilemmas? Der Bürgersohn eines Landes, das mit seiner Geschichte nicht zurechtkommt? Dieser «Rheinpreuße» Zuckmayer, der den Militarismus in der Satire *Der Hauptmann von Köpenick* karikierte und gleichzeitig «Soldatisches» nicht verachtete, dieser Zeitgenosse hat sich in die Wiederaufbaugesellschaft nicht eingegliedert. Er lebte in Sas-Fee in einem Walliser Bauernhaus, genoß als verspäteter deutscher Romantiker Natur und die *Ewigkeit* der Berge, fuhr gelegentlich zu Festspielen und Theateraufführungen, schrieb und stilisierte sich in die Wünsche und Lebensträume einer Lesergemeinde hinein: als Volksdichter und Menschenfreund «Zuck».

Die Resonanz des Dramas *Des Teufels General* führte Zuckmayer zu
ausgedehnten Vortrags- und Diskussionsreisen. Seine Anstrengungen
zwangen ihn nach einem Herzanfall im Jahre 1948 zur Bettruhe. Als
Rekonvaleszent schrieb er das Drama *Der Gesang im Feuerofen.* Ein
längeres mythisches Vorspiel leitet die Handlung ein. «Mythische» Zwi-
schenspiele gliedern sie. Eine überhöhte Sprache unterstreicht Zuckmayers Absicht, *die ganze Welt- und Lebensfülle einer Zeit, ihre Tode, ihr
Grauen, aber auch seine Überwindung aus menschlichen und über-
menschlichen Kräften einzufangen . . .*[137] Während Zuckmayer bisher
Menschen in realen Alltagsbezügen darstellte, versuchte er sich hier an
einer *Weltdramatik.* Das Vorspiel zeigt eine Gerichtsinstanz, die christ-

*Mit
Gustaf Gründgens,
der 1955
«Das Kalte Licht»
im Deutschen
Schauspielhaus,
Hamburg,
inszenierte*

«Zuck», 1971

lich-religiöses Denken mit Naturmythen verbindet. Das Drama ist ganz in der Zuckmayer-Thematik angesiedelt. Es treten Menschen auf, die im Zweiten Weltkrieg das Leben trotz aller Widrigkeiten lieben. Zu dieser Lebensliebe gehört auch das Akzeptieren des Todes. Der Tod kann als Abschluß eines erfüllten Lebens erfahren werden oder führt, wie bei General Harras, zur Lösung aus schuldhaften Verstrickungen. Neben Menschen, die das Leben annehmen, zeigt Zuckmayer Personen, die durch eigene Schuld oder durch die ihrer Umwelt ihre Selbstgewißheit verlieren.

Das Schauspiel *Der Gesang im Feuerofen* schildert Frankreich unter der deutschen Besatzung. Während eine französische Widerstandsgruppe Weihnachten 1943 auf einem Schloß ein Fest feiert, umstellt deutsche Feldpolizei das Schloß und steckt es in Brand. Diese aus einer Zeitungsnotiz entnommene Realität wollte Zuckmayer ins Gleichnishafte steigern. Eine Überwindung der Nationalitäten deutete er dadurch an, daß er deutsche und französische Soldaten von denselben Schauspielern darstellen ließ. Zwei Engel klagen die Brutalität der Menschen an und mahnen zur Versöhnung. *Vater Wind, Mutter Frost* und *Bruder Nebel* treten als kosmische Kräfte auf. An Stelle von Personen erscheinen aufdringliche Symbolismen. Melodramatik und Vulgärphilosophie, ein Verkündigungstrieb und pathetische Spruchweisheiten verdrängen den realistischen Ansatz des Dramas.

Den realen Fragen, die mit dem Ausgangspunkt des Stücks gestellt sind, wich der Autor ins Metaphysische, Allgemeinmenschliche, Unverbindliche aus. Seine Fähigkeit, dramatische Figuren durch Sprache zu umreißen, ihr Umfeld und ihre Individualität faßlich zu machen, diese Fähigkeit verließ den Autor auch in dem 1955 uraufgeführten Schauspiel *Das Kalte Licht*, einem Drama um den Atomspion Kristof Wolters. Der historische Spionagefall des kommunistischen Agenten Fuchs diente als Anlaß. Ob allerdings die Motive der Dramengestalt denen des Agenten Fuchs vergleichbar sind, bleibt Spekulation. Wolters, der bestimmte physikalische Formeln, die für die Herstellung von Atomwaffen entscheidend sind, an die Sowjet-Union verrät, wird von Zuckmayer als Einzelgänger beschrieben. Mit seinem Verrat will Wolters verhindern, daß es zu einem Atomkrieg kommt. Wolters wird dargestellt, als hingen Krieg und Frieden allein von seiner Gewissensentscheidung ab. Das ist nur aus einer idealistischen Geschichtsauffassung des Autors herzuleiten. Dem Drama konnte die Kritik zu Recht einen Schein-Realismus und Kolportage vorwerfen, auch «Kalte Kriegs»-Posen. Die Anerkennung blieb Zuckmayer ebenfalls bei seinem 1961 uraufgeführten Theaterstück *Die Uhr schlägt eins* versagt, das aktuelle Jugendprobleme zum Anlaß hatte und in Deutschland sowie in Indochina spielt. Bei der Kritik und dem Publikum fiel ebenso das Drama *Das Leben des Horace A. W. Tabor* (1964) durch. Es ist ein Bilderbogen aus Amerikas Pionierzeit um den Aufstieg des Kneipenwirts Tabor zum Gouverneur von Colorado und sein Absinken in die Armut. Ebenfalls in den USA spielt der 1967 in Zürich herausgekommene Einakter *Kranichtanz*, eine Ehetragödie, die nur einen Achtungserfolg errang – der sich bei der Premiere des letzten Dramas *Der Rattenfänger* (1975) noch einmal wiederholte. Ein Flüchtling ist die Hauptfigur des Stücks, ein mittelloser Musikant, der frei nach der Sage vom Rattenfänger in Hameln die Stadt von einer Plage befreit. Zuckmayers Absicht war es, einen unabhängigen Menschen in eine Welt von Armen und Reichen, materiell Orientierten, geraten zu lassen. Er wird schließlich von Kindern zu einer Wanderung ins Land der Hoffnung, in die Utopie, verführt. Welche Utopie dies ist, welche Hoffnung, bleibt unbekannt.

3238 Vorstellungen wurden von Zuckmayers *Des Teufels General* zwischen 1947 und 1950 gegeben – der größte Nachkriegserfolg eines Theaterstücks. Des Autors Rückkehr in das deutschsprachige Kulturleben schien problemlos möglich zu sein. Doch der Kulturbruch, der durch die Emigration entstand, blieb deutlich. Zuckmayer konnte nicht an seine komödiantischen, lebensvollen und sprachgewaltigen Stücke der zwanziger Jahre anschließen. Es gelang ihm nicht mehr, Zeitstück und Volksstück zu einer Gesamtkonzeption zu bringen. Statt der Schilderung eines ihm bekannten Milieus gab er den Bühnen fiktive Szenerien, die erdacht wirkten. Realitätsferne haftet auch den in der Nachkriegszeit publizierten Erzählungen Zuckmayers an. Sentimentale Liebesgeschichten erfand er nun, aber auch die klug gebaute, vom turbulenten Karnevalstreiben bestimmte *Fastnachtsbeichte*. Die in Mainz Anfang des 20. Jahrhunderts spielende Handlung, in der typische Zuckmayer-Figuren ihre Liebe bis zum Verbrechen ausleben, wird spannend erzählt. Elemente der Intrigenkomödie, der psychologischen Enthüllungsgeschichte und der dämonischen Kriminaltragödie verbinden sich zu einem ins Unheimliche gesteigerten Liebesreigen. Immer dichter verstricken sich die handelnden Personen im Laufe der Erzählung in eine angstvoll verheimlichte Schuld, die sie schließlich zur Beichte ihrer Verfehlungen zwingt, um ihre Identität – «Amor Fati» – wiederzufinden. Wer diesen Weg nicht gehen kann, bleibt von der Liebe ausgeschlossen, wie der Abenteurer Ferdinand. *Die Fastnachtsbeichte* wurde 1960 verfilmt, einige Jahre später übernahm auch das Fernsehen den Stoff. Verfilmungen und Fernsehbearbeitungen von Zuckmayer-Dramen und -Erzählungen nahmen in den fünfziger Jahren zu. Rund ein Dutzend Filme wurde nach Zuckmayer-Vorlagen gedreht. Der Autor wurde zum Repräsentanten für die Kontinuität der deutschsprachigen Kultur. Seine anfangs im Auftrag der Alliierten über-

Das Stehpult im Arbeitszimmer von Saas-Fee

nommene Funktion bei der «Umerziehung» der Deutschen und seine positive Stellungnahme zur deutschen Demokratie, fern jeder Kollektiv-Anklage, täuschte über eines hinweg: Zuckmayer wollte nicht mehr in Deutschland leben. Er war nur noch eine Art «Ehrenbürger». 1952 erhielt er den Goethe-Preis der Stadt Frankfurt, 1955 das Große Verdienstkreuz mit Stern der Bundesrepublik Deutschland. 1957 zeichnete ihn das Land Rheinland-Pfalz mit seinem Literaturpreis aus und die Universität Bonn ernannte ihn zum Dr. phil. h. c. Die Ehrungen häuften sich weiterhin. Der Gerühmte wurde gerne zu Festreden verpflichtet. So sprach er zu Schillers 200. Geburtstag in Marbach, zum 25. Jahrestag des 20. Juli 1944 in Berlin, lebte aber dennoch seit 1958 fern von Deutschland in Saas-Fee – ein Eremit, zu Lebzeiten zum Denkmal stilisiert, der «Rheinpreuße», der naturbegeisterte, humoristische Volksdichter. Die Medien, Film, Fernsehen, Buch, vermarkteten den fern in den Bergen Thronenden, der 1966 sich mit der Autobiographie *Als wär's ein Stück von mir* noch einmal als Teil seiner Bühnengestalten erfand: als listiger Mann, als Verstrickter, als Soldat und weintrunkener Sänger, als Verfolgter und Heimatloser, als ein die Heimat in der Erinnerung harmonisierender Deutscher, als Naturmystiker, als sinnen- und lebensfroher Dramatiker, der von sich sagte: *Ich wollte nichts Programmatisches . . . ich wollte an die Natur heran, ans Leben und an die Wahrheit, ohne mich von den Forderungen des Tages, vom brennenden Stoff meiner Zeit zu entfernen.*

Am 18. Januar 1977 starb Carl Zuckmayer in der Schweiz.

ANMERKUNGEN

1 Hans Mayer: «Zur deutschen Literatur der Zeit. Zusammenhänge, Schriftsteller, Bücher». Reinbek 1967. S. 300

2 *Heinrich Heine und der liebe Gott und ich.* In: *Aufruf zum Leben. Porträts und Zeugnisse aus bewegten Zeiten.* Frankfurt a. M. 1976. S. 309

3 Vgl. Jost Hermand, der noch Jahre später nach der Preisverleihung, am 6. Dezember 1975, in der «Frankfurter Rundschau» erregt schrieb: «Zum Preisträger erkor man den allerseits ‹bequemen›, also unheinischen Carl Zuckmayer . . .»

4 *Heinrich Heine und der liebe Gott und ich,* a. a. O., S. 307

5 Ebd.

6 Ebd., S. 314

7 Ebd., S. 319f

8 Heinrich Heine: «Werke und Briefe». 10 Bde. Berlin 1961. Bd. 7, S. 154f

9 *Heinrich Heine und der liebe Gott und ich,* a. a. O., S. 320

10 *Die langen Wege. Ein Stück Rechenschaft.* Frankfurt a. M. 1952. S. 73

11 Ebd., S. 71

12 Ebd.

13 *Pro Domo.* Stockholm 1938. S. 92

14 *Die langen Wege,* a. a. O., S. 77f

15 Ebd., S. 73

16 Mayer, a. a. O., S. 298

17 Ebd.

18 *Die langen Wege,* a. a. O., S. 76

19 Ebd., S. 71

20 Ebd.

21 Ebd., S. 70

22 Ebd.

23 *Pro Domo,* a. a. O., S. 63

24 *Die langen Wege,* a. a. O., S. 66

25 «Carl Zuckmayer in Mainz». Mainz 1971. S. 49

26 *Das Ziel der Klasse. Festrede zum vierhundertjährigen Bestehen des Humanistischen Gymnasiums in Mainz gehalten am 27. Mai 1962.* Mainz 1962. S. 24f

27 *Pro Domo,* a. a. O., S. 90

28 Ebd.

29 Ebd., S. 86f

30 *Carlo Mierendorff. Porträt eines deutschen Sozialisten.* In: *Aufruf zum Leben,* a. a. O., S. 53

31 *Pro Domo,* a. a. O., S. 78f

32 Ebd., S. 88f

33 Ebd., S. 95

34 Zit. n. «Religiöse Sozialisten». Hg. von Arnold Pfeiffer. Olten–Freiburg i. B. 1976. S. 10

35 *Ein Weg zu Schiller.* Frankfurt a. M. 1959. S. 25
36 *Als wär's ein Stück von mir. Horen der Freundschaft.* Frankfurt a. M. 1971.
    S. 158
37 «Carl Zuckmayer in Mainz», a. a. O., S. 49 f
38 *Als wär's ein Stück von mir,* a. a. O., S. 161
39 Ebd., S. 155
40 Ebd., S. 167 f
41 Ebd., S. 169
42 Ebd., S. 170
43 Ebd., S. 180 – Daß Zuckmayers Schicksalsgläubigkeit mit der katholischen
    Kirche übereinstimmt, beschreibt Ingeborg Engelsing-Malek: «‹Amor Fati›
    in Zuckmayers Dramen». Los Angeles 1960. S. 4
44 Ebd., S. 184 – Zu Zuckmayers Dramenbearbeitung von Juden schreibt Inge-
    borg Engelsing-Malek in ihrer Dissertation «‹Amor Fati› in Zuckmayers
    Dramen» (a. a. O., S. 9 f): «Zuckmayers wiederholter Gestaltung von Juden,
    die er weder idealisiert noch typisiert, liegt eine Anerkennung seines eigenen
    Schicksals zugrunde. Ihre besondere Eigenart und Problematik im Drama
    lebendig werden zu lassen, hält er für seine Aufgabe, wie das Wesen der
    ‹arischen› Deutschen mit ihrer Gefühlsbetontheit einerseits und Neigung
    zur Abstraktion andererseits zu gestalten.» Diese Deutung setzt eine Identi-
    tät Zuckmayers mit seiner jüdischen Herkunft voraus. Sie läßt sich nicht
    nachweisen. Im Drama *Der fröhliche Weinberg* sind die jüdischen Händler
    typisiert dargestellt.
45 Ebd., S. 204 f
46 Ebd., S. 199
47 Ebd.
48 Ebd.
49 Ebd.
50 Ebd., S. 219
51 Ebd., S. 227
52 Ebd., S. 226
53 Ebd., S. 255
54 Ebd., S. 263
55 Ebd., S. 281
56 Ebd., S. 281 f
57 Ebd., S. 290 f
58 *Pro Domo,* a. a. O., S. 55 f
59 *Als wär's ein Stück von mir,* a. a. O., S. 302
60 Alfred Kerr: «Die Welt im Drama». Köln–Berlin 1954. S. 186
61 Ebd.
62 Ebd., S. 187
63 Ebd., S. 186
64 *Als wär's ein Stück von mir,* a. a. O., S. 369
65 Ebd., S. 405
66 Ebd., S. 412
67 Ebd., S. 423

68 Ebd., S. 424

69 Ebd., S. 447

70 Redaktion «Kindlers Literatur Lexikon»: «Der fröhliche Weinberg». In: «Kindlers Literatur Lexikon». Darmstadt 1970. Bd. IV, S. 3703 f

71 Walther Killy: «Ein Zeitgenosse, kein Prophet». In: «Die Zeit» vom 24. Dezember 1976

72 Fritz J. Raddatz: Vorwort in: «Marxismus und Literatur» Bd. I. Hg. von Fritz J. Raddatz. Reinbek 1969 (RP. 80). S. 23 f

73 Bertolt Brecht: «Volkstümlichkeit und Realismus». In: Brecht, «Gesammelte Werke» Bd. 19. Frankfurt a. M. 1969. S. 325

74 *Als wär's ein Stück von mir,* a. a. O., S. 450

75 Ebd., S. 451

76 Ebd., S. 450 f

77 Ebd., S. 457

78 Kerr, a. a. O., S. 189

79 *Der fröhliche Weinberg.* In: *Gesammelte Werke* Bd. III. Frankfurt a. M. 1960. S. 143

80 Ebd., S. 100

81 Ebd.

82 Ebd. S. 135 als Beispiel. Das Gespräch kreist um Kriegsveteranen und die Folgen der Revolution. Ernst und Ironie, Dialekt und Hochsprache stehen in diesem Wortwechsel einander gegenüber. Im Leitmotiv vom Schweinestechen verliert sich dann aber die kunstvolle Doppelperspektive.

83 *Als wär's ein Stück von mir,* a. a. O., S. 465

84 Ebd., S. 471

85 Ebd., S. 472

86 Ebd., S. 473

87 Ebd., S. 474

88 Alfred Kosean-Mokrau: «Räuberleben – Räubersterben. Aus der Geschichte berühmt-berüchtigter Banden und Banditen». Bern–Stuttgart 1972. S. 184 f

89 Visarion G. Belinskij (1811–48)

90 Kosean-Mokrau a. a. O., S. 185. Kosean-Mokrau macht darauf aufmerksam, daß sich in der Gestalt vom Schinderhannes auch antisemitische Haltungen zeigen. Die Legende beschreibt den Räuber als Gegner der Juden, denen er ihr unrechtmäßig erworbenes Eigentum raubt. Aber der «Antisemitismus» diente dem Johann Bückler offensichtlich nur dazu, seine Raubüberfälle auf reiche Juden und alte jüdische Händler zu begründen. Zu der Räuberbande gehörte übrigens eine Anzahl jüdischer Mitglieder.

91 *Schinderhannes.* In: *Gesammelte Werke,* a. a. O., S. 149

92 Ebd., S. 149 f

93 Ebd., S. 158

94 Ebd., S. 165

95 Ebd., S. 175

96 Ebd., S. 183

97 Ebd.

98 *Ein voller Erdentag – Zu Gerhart Hauptmanns hundertstem Geburtstag.* Frankfurt a. M. 1962. S. 24

99 Ebd., S. 12

100 Ebd., S. 16

101 Ebd., S. 39

102 Kerr, a. a. O., S. 193 – Arnold Bauer schreibt dazu in seinem Buch «Carl Zuckmayer» (Berlin 1970. S. 47): «Kerrs Antithese von ‹Volkstum› und ‹volkstümlich›, die zunächst wie ein wortspielerischer Einfall anmutet, erhält ihren Sinn, wenn man das dritte heimatliche Volksstück des Dichters, *Katharina Knie*, mit den beiden ersten vergleicht. Volkstum – das ist im *Fröhlichen Weinberg* und im *Schinderhannes* neben dem farbechten Milieu und der bildkräftigen Sprache in erster Linie der wirkliche Volkscharakter mit seinen deftigen Zügen und mit seinen romantischen Sehnsüchten. Volkstümlich – das ist, und so wird Kerr es verstanden haben, das, was dem Volke gefällt, auch wenn es nicht immer aus dem Volke kommt: nämlich das Sentimentale, gekünstelt Rührselige. Zuckmayers ‹Seiltänzerstück› (so lautet der Untertitel) greift zwar auf Gestalten und Umwelt seiner Heimat zurück, mundartlich jedoch mehr zum Rheinpfälzischen hin. Aber die menschlichen Charaktere und ihre Konflikte erscheinen allzu romantisiert.»

103 *Als wär's ein Stück von mir*, a. a. O., S. 482

104 Zit. n. Michael Töteberg: «Der Kleinbürger auf der Bühne». In: «Akzente» H. 2 (April 1976), S. 171

105 Volker Klotz: «Dramaturgie des Publikums». München–Wien 1976. S. 184

106 Marianne Kesting: «Carl Zuckmayer». In: Kesting, «Panorama des zeitgenössischen Theaters». München 1969. S. 279

107 *Als wär's ein Stück von mir*, a. a. O., S. 490 f

108 Ebd., S. 491

109 Ebd.

110 Günther Rühle: «Theater in unserer Zeit». Frankfurt a. M. 1976. S. 91

111 Zit. n. Bauer, a. a. O., S. 53

112 Engelsing-Malek, a. a. O., S. 49 f

113 *Der Hauptmann von Köpenick*. In: *Gesammelte Werke*, a. a. O., S. 311

114 Ebd.

115 Ebd., S. 326

116 Ebd., S. 342 f

117 Ebd., S. 346

118 Ebd., S. 367

119 Ebd., S. 379. – Vgl. dazu Ingeborg Engelsing-Malek, die dieses bewußte In-die-Hand-Nehmen des eigenen Lebensweges, das sich für Voigt aus diesen Gedanken ergibt, als Grundunterscheidung zu Gerhart Hauptmanns Theaterauffassung nimmt. Hauptmanns Figuren sind wehrlose Geschöpfe, unentrinnbar an Triebe und Umwelt gekettet. «Diese Bindung nimmt ihnen jede Freiheit der Entscheidung. Schließlich gehen sie dumpf und hilflos zugrunde. Dieser widerstandslosen Indifferenz gegenüber dem Schicksal setzt Zuckmayer seine Gestalten entgegen, die der ‹amor fati-Glaube›, die Hingabe an das innere Gesetz erfüllt. Wilhelm Voigt unterwirft sich keinem

mechanischen Massengesetz, läßt sich nicht als Opfer langsam ‹zerrädern›, sondern kämpft um seine persönliche Freiheit. Für diesen Kampf, der in den wesentlichen Phasen geschildert wird, braucht er keine Organisation und keine Verbündeten. Er führt ihn allein, ein einzelner gegen die Menschenordnung, ohne Rache und ohne Bosheit, nur der inneren Stimme folgend, die ihn für sein Leben verantwortlich macht» (Engelsing-Malek, a. a. O., S. 57).

120 *Der Hauptmann von Köpenick,* a. a. O., S. 411

121 Ebd., S. 495 f

122 Adalbert Reif: «Der Autor, der nicht zu verfremden ist». In: «Deutsches Allgemeines Sonntagsblatt» vom 26. Dezember 1976, S. 14

123 *Festrede für Gerhart Hauptmann.* In: *Aufruf zum Leben,* a. a. O., S. 180

124 Heinrich von Nußbaum: «Der Dichter seines Lebens». In: «Frankfurter Rundschau» vom 20. Januar 1977, S. 7

125 *Als wär's ein Stück von mir,* a. a. O., S. 507

126 Ebd., S. 512

127 *Ulla Winblad.* In: *Gesammelte Werke* Bd. IV, a. a. O., S. 319 f

128 Vgl. Hans-Christof Wächter: «Theater im Exil. Sozialgeschichte des deutschen Exiltheaters 1933–1945». München 1973. S. 162

129 *Aufruf zum Leben,* a. a. O., S. 13

130 *Carlo Mierendorff,* a. a. O., S. 37

131 Ebd., S. 59

132 Michael Schmidt: «Des Teufels General». In: «Kindlers Literatur Lexikon». Darmstadt 1973. Bd. X, S. 9302 f

133 Killy, a. a. O.

134 *Persönliche Notizen zu meinem Stück «Des Teufels General».* In: «Die Wandlung», (Heidelberg) 4 (1948), S. 331 f

135 Zit. n. Georg Hensel: «Spielplan. Schauspielführer von der Antike bis zur Gegenwart». Teil II. Berlin 1966. S. 1251

136 Nußbaum, a. a. O. – In diesen Zusammenhang gehört, daß der amerikanische Staatsbürger Carl Zuckmayer sich als Leiter einer Deutschland-Sektion im amerikanischen Kriegsministerium betätigte und auf diese Weise seine Reise nach Deutschland, im dienstlichen Auftrag, früher als andere Emigranten antreten konnte. Er diskutierte und debattierte in Deutschland, bis ein Herzanfall seine Aufklärungskampagne unterbrach.

137 *Zeichen für Klage und Lust: zur Hamburger Fassung meines Dramas «Der Gesang im Feuerofen».* In: «Die Welt» vom 11. November 1950

ZEITTAFEL

1896   27. Dezember: Carl Zuckmayer geboren in Nackenheim (Rheinpfalz)

1903–1914   Besuch des Humanistischen Gymnasiums in Mainz, wohin die Familie übergesiedelt war

1914   Notabitur und Meldung als Kriegsfreiwilliger. Kriegsteilnehmer (Leutnant)

1917   Erste Veröffentlichungen in der von Franz Pfemfert herausgegebenen Wochenschrift «Aktion»

1918   Mitglied des Arbeiter- und Soldatenrats in Mainz und des «Revolutionären Studentenrates» an der Universität Frankfurt a. M.

1919   Mitarbeiter an der von Carlo Mierendorff herausgegebenen Zeitschrift «Das Tribunal»

1919–1920   Student an den Universitäten Frankfurt a. M. und Heidelberg. Zuckmayer beschäftigte sich u. a. mit Nationalökonomie, Philosophie, Botanik, Biologie

1920   Uraufführung des Dramas *Kreuzweg* am Städtischen Schauspielhaus in Berlin. Mißerfolg

1922   Dramaturg an den Städtischen Bühnen in Kiel

1923   Theaterskandal in Kiel und Entlassung Zuckmayers

1924   Dramaturg am Deutschen Theater in Berlin, gemeinsam mit Bertolt Brecht

1925   Uraufführung *Pankraz erwacht oder Die Hinterwäldler*, ein von Kritik und Publikum abgelehntes Drama. Heirat mit der Schauspielerin Alice Frank, geb. von Herdan. Uraufführung der Komödie *Der fröhliche Weinberg* in Berlin. Zuckmayer erhielt für dieses Stück den Kleist-Preis

1927   Uraufführung des Schauspiels *Schinderhannes* in Berlin. Erzählung *Der Bauer aus dem Taunus*

1928   Das Seiltänzerstück *Katharina Knie* wird in Berlin uraufgeführt

1929   Georg-Büchner-Preis und Dramatikerpreis der Heidelberger Festspiele. Drehbuch «Der blaue Engel»

1931   Uraufführung des Schauspiels *Der Hauptmann von Köpenick*, das Zuckmayer mit dem Untertitel *Ein deutsches Märchen* versieht

1933   Übersiedlung nach Österreich. Dort hatte die Familie Zuckmayer bereits 1926 ein Haus in Henndorf bei Salzburg erworben

1934   In Wien wird das Schauspiel *Der Schelm von Bergen* uraufgeführt. Die Erzählung *Eine Liebesgeschichte* erscheint im Fischer-Verlag, Berlin. Drehbücher für Alexander Korda, London, entstehen

1935   Der Roman *Salwàre oder Die Magdalena von Bozen* wird vom Berliner Fischer-Verlag ediert, von den Nationalsozialisten beschlagnahmt und vernichtet

1938   Emigration in die Schweiz. Uraufführung des Dramas *Bellman* in Zürich. 1953 erschien die zweite Fassung des Stücks unter dem Titel *Ulla Winblad*. Der Roman *Herr über Leben und Tod* wird vom Berman-Fischer-Verlag, Stockholm, herausgegeben, ebenso die autobiographische Schrift *Pro Domo*

1939	Ausbürgerung aus Deutschland, Übersiedlung in die USA
1939–1941	Drehbuchautor in Hollywood und Dozent an Piscators Theaterschule in New York
1941	Farmer in Vermont
1943	Beginn der Arbeit an dem Drama *Des Teufels General* (beendet 1945)
1945	Die Erzählung *Der Seelenbräu* erscheint in Stockholm
1946	Leiter einer Deutschland-Sektion im amerikanischen Kriegsministerium. Reise nach Deutschland in dienstlichem Auftrag
1947	Aufführung des Dramas *Des Teufels General* in Frankfurt a. M., das bereits 1946 in Zürich uraufgeführt wurde. Zuckmayer lebt von nun abwechselnd in den USA und in Deutschland
1949	Uraufführung des Dramas *Barbara Blomberg* in Konstanz. Alice Herdan-Zuckmayer publiziert Erinnerungen: «Die Farm in den grünen Bergen»
1950	In Göttingen wird das Stück *Der Gesang im Feuerofen* uraufgeführt
1952	Goethe-Preis der Stadt Frankfurt a. M., Ehrenbürger von Nackenheim
1955	Das Drama *Das Kalte Licht* kommt im Hamburger Schauspielhaus zur Uraufführung. Die Erzählung *Engele von Löwen* erscheint
1958	Zuckmayer übersiedelt nach Saas-Fee (Kanton Wallis, Schweiz)
1959	Erzählung *Die Fastnachtsbeichte*
1960	Großer Österreichischer Staatspreis
1961	In Wien wird das Drama *Die Uhr schlägt eins* uraufgeführt.
1964	*Das Leben des Horace A. W. Tabor*, Uraufführung in Zürich
1966	Autobiographie *Als wär's ein Stück von mir*
1967	Der Einakter *Kranichtanz*, Uraufführung in Zürich
1972	Heinrich-Heine-Preis der Stadt Düsseldorf
1975	Uraufführung des Dramas *Der Rattenfänger* in Zürich
1976	Carl Zuckmayer stirbt am 18. Januar in Saas-Fee

ZEUGNISSE

GERHART HAUPTMANN

Sie haben mich ganz gewonnen. Nicht nur durch das unmittelbare Leben, das in Ihren Gestalten pulst, sondern auch durch Ihre kühnen Gedichte und Ihre glühende Eigenkraft . . . Ich empfehle Sie dem besten Stern, der über dem Geschicke der deutschen Dichtung leuchtet.

Brief an Carl Zuckmayer

THOMAS MANN

Seit Gogols «Revisor» die beste Komödie der Weltliteratur.

Über «Der Hauptmann von Köpenick»

GERTRUD VON LE FORT

Carl Zuckmayer gehört zu den heute selten gewordenen Dichtern, die noch die volle Beziehung zur Totalität unsres Seins besitzen. Seine Gestalten sprechen die kraftvoll unbefangene Sprache des Volkes und die überlegene der Intellektuellen, er versteht sich aber auch auf die zarten Töne des Gemüts und zwar so, daß man daran glaubt.

THEODOR HEUSS

Es gab einmal, nicht zwischen uns, eine Art von Streitgespräch, wie man denn Zuckmayer katalogisieren, rubrizieren könne; das ist für viele ein Bedürfnis der Vereinfachung. Der handfeste Realismus aus der rheinhessischen Heimatwelt, scharfäugig und zugreifend – aber das ist nur ein Ausschnitt, ein sehr wichtiger, in ihm blüht die Sprache, aus der er lebt. Geht das Ziel auf das aufwühlende Problemstück, in dem Thesen sich in menschliche Schicksale verwandeln und die Antwort auf ihre Fragen den Raum des theatralisch Spannungsreichen verläßt – die «Schaubühne als moralische Anstalt»? Und dann im «Schelm», in der «Blomberg» die Flucht ins historische Kostüm; also doch ein heimlicher Romantiker? Ja, der fast naive poetische Spieltrieb, der als Motor in der männlichen Vitalität spürbar bleibt, fordert sein Recht, nimmt sich sein Recht, und die Szene da oben wird eine Ballade.

Luise Rinser

Es gibt eine Karikatur von Meier-Brockmann: um Zucks Hals hängt das Eiserne Kreuz. Das ist boshaft und mißverständlich, doch sagt es, richtig verstanden, etwas nicht Unwichtiges über Zuckmayer aus. Dorothy Thompson, die amerikanische Journalistin, schrieb von ihrem Freund Zuck (sie schrieb es 1942), er sei «a German and a Patriot», er sei «German blood and soil» . . . Zuckmayer machte niemals einen Hehl daraus, daß er deutsch sei und Deutschland liebe, und niemals, auch nicht in der Emigration, ließ er sich hinreißen, Deutschland zu schmähen und es gleichzusetzen mit der Situation, in der es sich unter Hitler befand.

Hermann Kesten

Wir haben in der deutschen Literatur nur wenige große Komödiendichter wie Lessing und Goethe, Büchner und Kleist, Nestroy und Raimund, Hofmannsthal und Sternheim und Georg Kaiser und Erich Kästner und wenige humoristische Volksdichter wie Gerhart Hauptmann und Carl Zuckmayer, Ödön von Horváth und Bertolt Brecht . . .

BIBLIOGRAPHIE

Die folgende Bibliographie ist eine Auswahl. Auf eine Nennung von Erstdrucken bei Einzelveröffentlichungen sowie Zeitschriftenaufsätzen wurde verzichtet.

1. Bibliographien

ENGELSING-MALEK, INGEBORG: «Amor Fati» in Zuckmayers Dramen. Berkeley–Los Angeles 1960. S. 215–221

JACOBIUS, JOHN ARNOLD: Das Schauspiel Carl Zuckmayers: Wesen, Gehalt und Beziehung zum Gesamtwerk. Mit einer Bibliographie des von und über Carl Zuckmayer veröffentlichten Schrifttums (1920–1954). Ann Arbor 1956 Carl Zuckmayer. Eine Bibliographie 1917–1971. Ab 1955 fortgeführt und auf den jüngsten Stand gebracht von HARRO KIESER. Frankfurt a. M. 1971

2. Gesammelte Werke
(in chronologischer Reihenfolge)

Die deutschen Dramen (Schinderhannes; Der Hauptmann von Köpenick; Des Teufels General). Stockholm 1947

Gedichte 1916–1948. Amsterdam 1948

Komödie und Volksstück (Der fröhliche Weinberg; Katharina Knie; Der Schelm von Bergen). Frankfurt a. M. 1950

Die Erzählungen (Die Geschichte eines Bauern aus dem Taunus; Die Geschichte vom Tümpel; Die Geschichte von einer Entenjagd; Geschichte von einer Geburt; Die Affenhochzeit; Der Seelenbräu; Die wandernden Hütten; Eine Liebesgeschichte; Engele von Loewen). Frankfurt a. M. 1952

Gesammelte Werke Bd. I–IV. Frankfurt a. M. 1960

Gedichte. Frankfurt a. M. 1960

Geschichten aus vierzig Jahren. Frankfurt a. M. 1963

Engele von Loewen und andere Erzählungen. Frankfurt a. M.–Hamburg 1965

Erzählungen. Zürich 1965

Meisterdramen. Frankfurt a. M. 1966

Meistererzählungen. Frankfurt a. M. 1967

Dramen. Berlin 1967

Aufruf zum Leben. Porträts und Zeugnisse aus bewegten Zeiten. Frankfurt a. M. 1976

Werkausgabe in zehn Bänden. Frankfurt a. M. 1976

3. Lebenszeugnisse und Reden in Einzelausgaben
(in alphabetischer Reihenfolge)

Als wär's ein Stück von mir. Horen der Freundschaft. Frankfurt a. M. 1966

Amerika ist anders. Der Monat o. J.

Ein Blick auf den Rhein; Rede, gehalten bei der feierlichen Verleihung der Würde eines Doktor honoris causa der Philosophischen Fakultät der Universität Bonn am 10. Mai 1957. Bonn 1957

Die Brüder Grimm. Ein deutscher Beitrag zur Humanität. Frankfurt a. M. 1948

Carlo Mierendorff. Portrait eines deutschen Sozialisten. Gedächtnisrede gesprochen am 12. März 1944 in New York. Berlin 1947

Festrede für Gerhart Hauptmann. 14. November 1932. Privatdruck 1932

Festrede zum vierhundertjährigen Bestehen des Humanistischen Gymnasiums in Mainz am 27. Mai 1962. Mainz 1962

Für Gertrud von Le Fort. 11. Oktober 1966. Privatdruck 1966

Henndorfer Pastorale. Salzburg 1972

Die langen Wege. Ein Stück Rechenschaft. Frankfurt a. M. 1952

Memento zum zwanzigsten Juli 1969. Frankfurt a. M. 1969

Pro Domo. Stockholm 1938

Scholar zwischen gestern und morgen. Ein Vortrag gehalten in der Universität Heidelberg anläßlich seiner Ernennung zum Ehrenbürger am 23. November 1967. Heidelberg 1967

Second Wind. With an introduction by Dorothy Thompson. New York 1940

Über die musische Bestimmung des Menschen. Rede zur Eröffnung der Salzburger Festspiele 1970. Salzburg 1970

Ein voller Erdentag. Festrede zu Gerhart Hauptmanns hundertstem Geburtstag (am 15. November 1962 in Köln, Wien und Zürich). Frankfurt a. M. 1962

Ein Weg zu Schiller. Frankfurt a. M. 1959

Wiedersehen mit einer Stadt. In: Auf einem Weg im Frühling. Erzählung. Salzburg 1970

4. Bearbeitungen von Werken anderer Autoren

Herbert Engelmann. Drama in vier Akten. (Aus dem Nachlaß von Gerhart Hauptmann; ausgeführt von Carl Zuckmayer). Beide Fassungen. München 1952

Rivalen. Ein Stück in drei Akten (Nach dem amerikanischen Schauspiel von Maxwell Anderson und Laurence Stallings, frei bearb. von Carl Zuckmayer). Berlin 1929

Die Unvergeßliche («I remember Mama»). Ein Stück in zwei Akten von John van Druten; deutsche Bearbeitung von Carl Zuckmayer (Als Sonderdruck veröffentlicht: Property of the Director of Information Control, Theater and Music Branch, APO 742, U. S. Army 1947)

ADLING, WILFRIED: Die Entwicklung des Dramatikers Carl Zuckmayer. Leipzig 1957

BAUER, ARNOLD: Carl Zuckmayer. Berlin 1970

ENGELSING-MALEK, INGEBORG: «Amor Fati» in Zuckmayers Dramen. Berkeley–Los Angeles 1960

Festschrift für Carl Zuckmayer. Hg. von der Stadt Mainz und der Carl-Zuckmayer-Gesellschaft, Mainz. Mainz 1976

Fülle der Zeit: Carl Zuckmayer und sein Werk. Frankfurt a. M. 1956

HERDAN, ALICE: Die Farm in den grünen Bergen. Hamburg 1949

JACOBIUS, ARNOLD JOHN: Das Schauspiel Carl Zuckmayers. Wesen, Gehalt und Beziehung zum Gesamtwerk. Mit einer Bibliographie des von und über Carl Zuckmayer veröffentlichten Schrifttums 1920–1954. Ann Arbor 1956

Motive und Dramaturgie im Schauspiel Carl Zuckmayers. Versuch einer Deutung im Rahmen des Gesamtwerks aus den Jahren 1920 bis 1955. Frankfurt a. M. 1971

JAKOBSMEIER-STOREY, LIESELOTTE: The concept of womanhood in the works of Carl Zuckmayer. Oklahoma 1969

LANGE, RUDOLF: Carl Zuckmayer. Velber 1969

Carl Zuckmayer. München 1966

MEINHERZ, PAUL: Carl Zuckmayer. Sein Weg zu einem modernen Schauspiel. Bern 1960

REINDL, LUDWIG E.: Zuckmayer. Eine Bildbiographie. München 1962

TEELEN, WOLFGANG: Die Gestaltungsgesetze im Bühnenwerk Carl Zuckmayers. Marburg 1952

VANDENRATH, J.: Drama und Theater in Carl Zuckmayers Bühnendichtung. Lüttich 1960

WERNER, S.: Der Hauptmann von Köpenick. Wirklichkeit und Dichtung am Beispiel des Dramas von Carl Zuckmayer. Maryland 1954

6. Untersuchungen

BARLOG, BOLESLAW: Zuckmayers Theater. In: Die Zeit vom 23. Dezember 1966

BARRICK, RAYMOND ERFORD: A characterization of the mystical philosophy of Carl Zuckmayer as revealed in his life and works. Ann Arbor 1964

BEERMANN FISCHER, GOTTFRIED: Brief zum sechzigsten Geburtstag. In: BEERMANN-FISCHER, Das siebzigste Jahr. Frankfurt a. M. 1956

BIENEK, HORST: Carl Zuckmayer. In: BIENEK, Werkstattgespräche mit Schriftstellern. München 1962

BLÖCKER, GÜNTER: Janusköpfiger Zuckmayer. In: Der Tagesspiegel vom 20. April 1952

BROCK-SULZER, ELISABETH: Doch kein Theater von gestern? Revision in der Sache Carl Zuckmayer. In: Theater heute 1(1965)

BURCKHARDT, CARL J.: Für Carl Zuckmayer. In: Die Neue Rundschau 4 (1966), S.

543–546

CLIFFORD, H. J.: A study of the principal characters in Zuckmayer's plays with the particular regard to the emergence of the problematical hero. Exeter 1963

DAIBER, HANS: Deutsches Theater seit 1945. Stuttgart 1976. S. 72 f

DREWITZ, INGEBORG: Im Leben zu Hause. Carl Zuckmayer – Versuch eines Porträts. In: Merkur 12 (1966), S. 1195–1199

DREWS, WOLFGANG: Carl Zuckmayer und sein Werk. Fröhlich leben, tapfer sterben. In: Theater und Zeit 1963/64, S. 28–36

HENSEL, GEORG: Spielplan. Schauspielführer von der Antike bis zur Gegenwart. Teil II. Berlin–Wien 1966. S. 1246 f

HEUSS, THEODOR: Carl Zuckmayer. In: HEUSS, Vor der Bücherwand. Tübingen 1961. S. 295–299

HODGSON-SWEDIECK, HELEN: The role of man und society in the works of Carl Zuckmayer. Toronto 1958

IHERING, HERBERT: Zuckmayer und sein Glück. In: Tagebuch, Jg. 8/1928, S. 1715

KERR, ALFRED: Carl Zuckmayer. In: KERR, Die Welt im Drama. Köln–Berlin 1954. S. 186 f

KESTING, MARIANNE: Carl Zuckmayer. In: KESTING, Panorama des zeitgenössischen Theaters. München 1969. S. 278 f

KILLY, WALTHER: Ein Zeitgenosse, kein Prophet. In: Die Zeit vom 24. Dezember 1976

KLOTZ, VOLKER: Dramaturgie des Publikums. München–Wien 1976. S. 177, 198

LENNARTZ, FRANZ: Zuckmayer, Carl. In: LENNARTZ, Deutsche Dichter und Schriftsteller unserer Zeit. Stuttgart 1969. S. 769–776

MAYER, HANS: Zur deutschen Literatur der Zeit. Zusammenhänge, Schriftsteller, Bücher. Reinbek 1967. S. 296 f

MAYFIELD, DAVID MERKLEY: Carl Zuckmayer and the German military tradition. Salt Lake City 1969

MELCHINGER, SIEGFRIED: Geschichte des politischen Theaters. Velber 1971. S. 371 f

MENDELSSOHN, PETER DE: Der Zeitgenosse Carl Zuckmayer. In: Die Neue Rundschau 4 (1976), S. 517 f

NUSSBAUM, HEINRICH VON: Der Dichter seines Lebens. Zum Tode Carl Zuckmayers. In: Frankfurter Rundschau vom 20. Januar 1977

RILLA, PAUL: Zuckmayer und die Uniform. In: RILLA, Literatur, Kritik und Polemik. Berlin 1950. S. 7–27
Zuckmayer und die Uniform. In: RILLA, Vom bürgerlichen zum sozialen Realismus. Aufsätze. Leipzig 1967. S. 83–102

RINSER, LUISE: Carl Zuckmayer. In: RINSER, Der Schwerpunkt. Frankfurt a. M. 1960. S. 45–70

ROOKE, SHEILA: The theme of betrayal in the works of Carl Zuckmayer. London 1965

RÜHLE, GÜNTHER: Theater in unserer Zeit. Frankfurt a. M. 1976
Carl Zuckmayer. Die einfache Wahrheit des Carl Zuckmayer. Zu seinem 80. Geburtstag am 27. Dezember 1976. Sonderdruck Frankfurt a. M. 1976

SCHLAFFER, HANNELORE: Dramenform und Klassenstruktur. Eine Analyse der dramatis persona «Volk». Stuttgart 1972

WÄCHTER, HANS-CHRISTOF: Theater im Exil. Sozialgeschichte des deutschen Exiltheaters 1933–1945. München 1973. S. 162 f

WIESE, BENNO VON: Begegnung mit Carl Zuckmayer. In: CARL ZUCKMAYER, Ein Blick auf den Rhein. Bonn 1957. S. 31–40

NAMENREGISTER

Die kursiv gesetzten Zahlen bezeichnen die Abbildungen

Thomas Ayck, 1939 in Hamburg geboren. Studium der Germanistik, Anglistik und Kunstgeschichte in Hamburg und Basel. Essays über Theodor Lessing und Mark Twain. Übersetzung von Mark Twains «1601». 1974 «Mark Twain», rowohlts monographien. 1975 «Gegen die US-Gesellschaft: Gespräche mit Henry Miller und James Baldwin». 1976 «Jack London», rowohlts monographien. Journalistische Arbeit für Zeitungen und Rundfunkanstalten. Seit 1969 Redakteur und Dokumentarfilmer in der Hauptabteilung Kultur und Wissenschaft des Norddeutschen Rundfunks. Dokumentationen u. a. über «Obszönität als Gesellschaftskritik», Siegfried Lenz, Alberto Moravia, Peter Weiss, Bertolt Brecht im Exil, James Baldwin, Francis Bacon, Alexander Mitscherlich, Ingmar Bergman.

QUELLENNACHWEIS DER ABBILDUNGEN

Ullstein-Bilderdienst, Berlin: 9, 22, 38, 42, 46, 52, 53, 69, 71, 75, 76, 82, 85, 87, 88, 89, 93, 94, 106, 113, 126 / Aus: Jacques Cabaud, Simone Weil. Freiburg-München 1968: 16 / Oertel, Berlin: 40 / PIK: 50 / Österreichische Nationalbibliothek, Wien: 64 / Gabriele du Vinage, Hamburg: 100, 101, 125 / Arnold J. Jacobius, Fairfax: 116

rowohlts mono graphien

IN SELBSTZEUGNISSEN
UND BILDDOKUMENTEN
HERAUSGEGEBEN
VON KURT KUSENBERG

PHILOSOPHIE

RELIGION

GESCHICHTE

LENIN / Hermann Weber [168]
LUXEMBURG / Helmut Hirsch [158]
MAO TSE-TUNG / Tilemann Grimm [141]
METTERNICH / Friedrich Hartau [250]
NAPOLEON / André Maurois [112]
RATHENAU / Harry Wilde [180]
SCHUMACHER / H. G. Ritzel [184]
STALIN / Maximilien Rubel [224]
FREIHERR VOM STEIN / Georg Holmsten [227]
THÄLMANN / Hannes Heer [230]
TITO / Gottfried Prunkl u. Axel Rühle [199]
TROTZKI / Harry Wilde [157]

PÄDAGOGIK

PESTALOZZI / Max Liedtke [138]

NATURWISSENSCHAFT

DARWIN / Johannes Hemleben [137]
EINSTEIN / Johannes Wickert [162]
GALILEI / Johannes Hemleben [156]
OTTO HAHN / Ernst H. Berninger [204]
HEISENBERG / Armin Hermann [240]
A. VON HUMBOLDT / Adolf Meyer-Abich [131]
KEPLER / Johannes Hemleben [183]
MAX PLANCK / Armin Hermann [198]

MEDIZIN

ALFRED ADLER / Josef Rattner [189]
FREUD / Octave Mannoni [178]
C. G. JUNG / Gerhard Wehr [152]
PARACELSUS / Ernst Kaiser [149]

KUNST

HIERONYMUS BOSCH / Heinrich Goertz [237]
CÉZANNE / Kurt Leonhard [114]
DÜRER / Franz Winzinger [177]
VAN GOGH / Herbert Frank [239]
GEORGE GROSZ / Lothar Fischer [241]

KLEE / Carola Giedion-Welcker [52]
LE CORBUSIER / Norbert Huse [248]
LEONARDO DA VINCI / Kenneth Clark [153]
MICHELANGELO / Heinrich Koch [124]
PICASSO / Wilfried Wiegand [205]
REMBRANDT / Christian Tümpel [251]

MUSIK

BACH / Luc-André Marcel [83]
BARTÓK / Everett Helm [107]
BEETHOVEN / F. Zobeley [103]
ALBAN BERG / Volker Scherliess [225]
BRAHMS / Hans A. Neunzig [197]
BRUCKNER / Karl Grebe [190]
CHOPIN / Camille Bourniquel [25]
DVORÁK / Kurt Honolka [220]
HÄNDEL / Richard Friedenthal [36]
HAYDN / Pierre Barbaud [49]
LISZT / Everett Helm [185]
MAHLER / Wolfgang Schreiber [181]
MENDELSSOHN BARTHOLDY / Hans Christoph Worbs [215]
MOZART / Aloys Greither [77]
MUSSORGSKY / Hans C. Worbs [247]
OFFENBACH / Walter Jacob [155]
REGER / Helmut Wirth [206]
SCHÖNBERG / Eberhard Freitag [202]
SCHUBERT / Marcel Schneider [19]
SCHUMANN / André Boucourechliev [6]
R. STRAUSS / Walter Deppisch [146]
TELEMANN / Karl Grebe [170]
TSCHAIKOWSKY / Everett Helm [243]
VERDI / Hans Kühner [64]
WAGNER / Hans Mayer [29]
WEBERN / Hanspeter Krellmann [229]

THEATER / FILM

CHAPLIN / Wolfram Tichy [219]
EISENSTEIN / Eckhard Weise [233]
PISCATOR / Heinrich Goertz [221]
MAX REINHARDT / Leonhard M. Fiedler [228]

roro neu

Klassiker

der Literatur und der Wissenschaft
mit Biographie · Bibliographie · Essays

Herausgegeben von Prof. Ernesto Grassi
unter Mitarbeit von Walter Hess

Verzeichnis aller lieferbaren Werke:

Italienische Literatur und Philosophie

Goldoni, Carlo
Herren im Haus / Viel Lärm in Chiozza. Zwei Komödien [132]

Englische Literatur

William Shakespeare
Romeo und Julia
englisch–deutsch
[298 – Mai 1977]
Hamlet
englisch–deutsch
[299 – Juni 1977]
Richard III.
englisch–deutsch
[300 – September 1977]
Julius Caesar
englisch–deutsch
[301 – Oktober 1977]

Östliche Literatur und Philosophie

Aurobindo, Sri
Der integrale Yoga [24]

Römische Literatur

Caesar, C. Julius
Der Gallische Krieg [175]
Cicero
Über die Gesetze [239]

Sallust
Die Verschwörung des Catilina
/ Lateinisch und Deutsch [165]

Spanische Literatur

Gracian Baltasar
Criticón oder Über die allgemeinen Laster des Menschen
[2]

Philosophie des Humanismus und der Renaissance

Der utopische Staat
Thomas Morus, Utopia / **Tommaso Campanella,** Sonnenstaat / **Francis Bacon,** Neu-Atlantis / Herausgegeben von Klaus J. Heinisch [68]

Philosophie der Neuzeit

Marx, Karl
Texte zu Methode und Praxis II: Pariser Manuskripte 1844 [209]

Texte des Sozialismus und Anarchismus

Luxemburg, Rosa
Schriften zur Theorie der Spontaneität. Hg.: Susanne Hillmann [249]

Ein vollständiges Verzeichnis aller lieferbaren Bände erhalten Sie direkt vom
Rowohlt Taschenbuch Verlag, 2057 Reinbek bei Hamburg.

Erzählungen großer Autoren unserer Zeit in Sonderausgaben

JAMES BALDWIN · Gesammelte Erzählungen

GOTTFRIED BENN · Sämtliche Erzählungen

ALBERT CAMUS · Gesammelte Erzählungen

JOHN COLLIER · Gesammelte Erzählungen

ROALD DAHL · Gesammelte Erzählungen

HANS FALLADA · Gesammelte Erzählungen

ERNEST HEMINGWAY · Sämtliche Erzählungen

KURT KUSENBERG · Gesammelte Erzählungen

SINCLAIR LEWIS · Gesammelte Erzählungen

HENRY MILLER · Sämtliche Erzählungen

YUKIO MISHIMA · Gesammelte Erzählungen

ROBERT MUSIL · Sämtliche Erzählungen

VLADIMIR NABOKOV · Gesammelte Erzählungen

JEAN-PAUL SARTRE · Gesammelte Erzählungen

JAMES THURBER · Gesammelte Erzählungen

JOHN UPDIKE · Gesammelte Erzählungen

THOMAS WOLFE · Sämtliche Erzählungen

Rowohlt Verlag

367/21

Ein deutsches Lesebuch –
Die Summe eines großen,
kämpferischen Lebens:

10 Bände
in Geschenkkassette

Kurt
Tucholsky
Gesammelte Werke
1907-1918
1

ro
ro
ro

«Wir glaubten doch, unseren Tucho recht gut zu
kennen. Nun stehen wir überrumpelt, hingeris-
sen, verblüfft vor immer neuen Entdeckungen.»
Axel Eggebrecht

«Dieses ganze dicke, runde, zum Schmökern geradezu einladende Buchpaket kostet ganze DM 98,–.
Was soll man da anderes empfehlen als: zugrei-
fen?»
Frankfurter Rundschau

863/3